edicionesCarena

Primera edición: octubre del 2009

© Emilio Vivar
© de esta edición, Ediciones Carena
c/ Alpens, 8
08014 Barcelona
Tel 93 4310283
www.edicionescarena.org
carena@edicionescarena.org

Diseño y posproducción de fotografías: Mariona Alonso
Maquetación: Maia Rojas Brückmann

Depósito legal: B. 43.012-2009
ISBN: 978-84-92619-55-9

LOS ANÓNIMOS DE LA GUERRA DE CUBA

Emilio Vivar

In memoriam de mi madre que siempre quiso inculcarme un espíritu de superación.

y de mi abuelo, soldado anónimo de la guerra de cuba.

Madrid 12 / 9 / 2000

Hola, Evangelina:

No sé si aún te acuerdas de mí. Yo sí he pensado muchas veces en ti, siempre con nostalgia.

He sabido tu dirección, aquí en Madrid, por medio de tu editorial. Ya que he tenido el atrevimiento de dirigirme a ti, a través de este medio tan rápido y directo como es Internet, quiero, antes de nada, felicitarte por tu libro. Es erudito y ameno, de manera que lo he bebido -más que leído- con ansia. El tema del que trata, el siglo XIX, me resulta muy atractivo. Precisamente tengo la arrogante pretensión de publicar en CULTURALIA, la revista de la ciudad donde nacimos, una serie de artículos relativos a los últimos años de esa centuria, principalmente los que comprenden la Guerra de Cuba.

Ah, bueno, que me enrollo y corro el peligro de que no leas este correo que había de ser escueto. Perdona. Los que estamos acostumbrados a las clásicas cartas, no podemos dejar el hábito de alargarnos así como así.

Déjame recordarte quien soy, por si mi nombre no te dice nada. Soy aquel muchacho que alguna vez visitó tu casa, cuando aún éramos adolescentes, y que no podía evitar seguirte con la mirada. ¿Te diste tú también cuenta de ese detalle? Desde luego, yo me fijaba en ti con mucho disimulo, por no ofender el "honor" de tu hermano. Añado que, si frecuentaba tu hogar, no era porque me sintiera muy amigo de Rogelio, sino porque me encantaba acudir allí con el pretexto de redactar los deberes escolares. Hacer el trabajo en equipo, el que nos había encomendado don Esteban, era para mí una tarea muy gratificante, dado que eso traía como consecuencia entrar en tu domicilio y contemplar a mis anchas a la chica a quien tanto admiraba. Seguro que tú no te dabas cuenta del embeleso que despertabas en aquel chaval intruso.

Perdona, una vez más, si te molesto con mis palabras, fruto de la nostalgia y de cierta frustración que se me quedaron clavadas en el alma y he llevado encima durante toda mi vida. El motivo de mi carta es otro muy diferente al de echar un vistazo a nuestro pasado personal, aunque me complace recordar aquellos momentos.

Me dirijo a ti, más bien, porque me atrae el tema de tu libro. Tengo la pretensión de renovar -o podríamos decir reiniciar- tu amistad por puro egoísmo, ¿te importaría? Tú, como historiadora profesional y conocedora del siglo en que se desarrolló la guerra en que participó mi abuelo, podrías llenar muchas lagunas de mi formación, sólo con tu ayuda conseguiré salir airoso de la tarea que me he impuesto.

Te parecerá paradójico que, siendo aficionado a la Historia, haya encauzado mi vida por la vía de las ciencias. Hasta ahora, no me había fijado en que necesitaba el apoyo de esa ciencia social para escribir la serie de artículos que te he anunciado. Es una forma de descubrir el misterio de las andanzas de mi abuelo por las tierras cubanas. Y una vez enzarzado en este menester, me he dado cuenta de que, conocer los hechos de nuestros antepasados, es una cosa apasionante. Desde este momento, las Ciencias seguirán siendo mi profesión y vocación, pero la Historia va a ser mi hobby.

Por el currículum que leo en la solapa de tu libro, observo que eres toda una eminencia en el tema que a mí me interesa, y casi me da vergüenza tener que pedirte asesoramiento en cuestiones tan elementales. Disculpa mi ingenuo atrevimiento. Y, ya que estamos metidos en osadías, me gustaría pedirte una cita, ¿podríamos quedar para tomar café?

Quieras o no acceder a mi deseo, te quedo muy agradecido con que sólo hayas leído esta carta. Un cordial saludo,
Basilio Xantal Gómez.

***

20 / 9 / 2000

Hola, Basi:

¿No era así como te solían llamar? Claro que me acuerdo de ti. Claro que sé quién eres. Pero tengo que hacerte un pequeño reproche por esa memoria tan selectiva que te domina. Tú sabes bien que nuestros caminos se han cruzado más de una vez en la vida. En cambio, sólo recuerdas aquellos momentos de la adolescencia, cuando yo aún era un proyecto de mujer ¿Qué pasa?, ¿desde entonces no habías vuelto a fijarte en mí?, ¿desaparecí totalmente de tu pensamiento de ahí en adelante? Nos hemos encontrado varias veces. Por ejemplo, hemos coincidido de vacaciones en Valdepeñas, nuestra ciudad. Otra vez en Madrid, en una fiesta de la Universidad, estuvimos un rato hablando. Lo que pasa es que, en aquella ocasión, tú no tenías ojos más que para tu novia. Se ve que te importé tan poco que borraste esos momentos de tus recuerdos.

Mas dejemos las nostalgias personales y vayamos al meollo de tu carta. La verdad, no tengo mucho tiempo, pero dado tu interés por el tema, lo sacaré de donde pueda con tal de ayudarte. Cuando quieras, llámame y quedamos. Puede que lo mejor sea encontrarnos personalmente, para que me digas qué es lo que esperas de mí, concretamente. Mi número de teléfono es...

***

28 / 9 / 2000

Apreciada amiga:

Déjame decir, por correo, lo que personalmente no me atreví a expresarte. Mi temor era que, de haberlo hecho, habría montado una escena que a ti te hubiera resultado cursi y a mí embarazosa. De palabra, me daba "corte" formularte la emoción que sentía al ver en tu persona –aunque hayan pasado tantos años– a la jovencita que aceleraba mis pulsos cada vez que la miraba.

Borra el mensaje y haz como que no lo has leído, en el caso de que te resulte embarazoso. Yo sólo quería homenajearte. Además, no creas que la admiración que has vuelto a despertar con nuestro encuentro es puramente física, sino que me has dejado encantado con tu saber y tu modo de expresarlo. De eso ya tenía un anticipo al leer tu libro. Me gustaría que nuestras reuniones se hicieran habituales para seguir gozando de tu magisterio.

Cambiemos de tema. Antes de avanzar, quiero darte algunas pistas sobre cuál es mi propósito. Para ello, es necesario que traiga a colación a un personaje, aunque secundario, importante en la narración de esta historia.

¿Te acuerdas de don Esteban, el profesor del Instituto? A lo mejor no, porque tú nunca fuiste su alumna. Pero lo más probable es que hubieras oído hablar de él. Ya verás como caes, si te pongo al tanto.

Don Esteban Meléndez Ramírez era un "adicto" al tema de la heroicidad. Desde primero de bachillerato, sus clases de Formación del Espíritu Nacional estaban dirigidas a hacer de nosotros, los constructores del mañana, unos héroes. Pretendía conseguirlo a base de mostrarnos arquetipos de varones –aunque también alguna mujer, como Agustina de

Aragón o la Reina Católica, con espíritus tan varoniles– que supieron mirar horizontes lejanos para dar brillo y grandeza a nuestra Patria.

***

—Otras naciones se dedican a fomentar la riqueza material, los inventos o el desarrollo de la ciencias. Nosotros no nos hemos de avergonzar de dar la espalda al progreso material para atizar el desarrollo del espíritu, que es lo que, en nuestros tiempos de oro, nos hizo ser la nación más grande del mundo. Con un puñado de superhombres, pudimos conquistar una gran parte del globo. Debemos mirar a esos superhombres legendarios y también echar una ojeada a nuestros santos.

—¿Y cómo se consigue eso, don Esteban?

—Hay mucho que hablar sobre el tema. Ya lo iremos viendo a lo largo de todo el bachillerato —El profesor se ponía de pie y, con su actitud fervorosa, hasta parecía alto, cuando en verdad no lo era. Entonces dedicaba una mirada al retrato de Franco, como si quisiera establecer cierta complicidad con el Generalísimo—. Si hubiera que resumirlo en unas pocas palabras, os diría que se consigue ser héroe colocándose por encima de las miserias y reacciones del cuerpo. ¿Qué necesita la carne?, comer, beber, cuidados, blandenguerías. Todo eso que constantemente nos está pidiendo para su satisfacción. Cuanto más le demos, más esclavos nos hacemos de ella y menos nos responde. Nos traiciona en los momentos más comprometidos, cuando debiera olvidarse de egoísmos. Domando al cuerpo de forma espartana, conseguiremos llegar a las cimas más altas, cerrando los ojos al miedo y a las fatigas. Así conseguiremos volar por encima de los pusiláni-

mes y alcanzar metas que ellos ni siquiera sueñan. Así logra-
remos conquistar el mundo.

—Pero, don Esteban, ¿no nos están ganando, en la actuali-
dad, todas esas naciones que van por delante de nosotros?

—No, muchachos, no —la cara del profesor hacía un gesto
despectivo, de tal manera que el bigote parecía como si se le
quisiera meter dentro de las fosas nasales. Esta vez es al retrato de José Antonio al que se dirigía—. Las cosas no son lo que
aparentan. A lo mejor, durante algún tiempo, parecerá que nos
ganan. Nada de eso. Habéis de tener en cuenta que, como
están en plena decadencia moral y espiritual, van acercándose,
cada vez más, hacia el precipicio. En ese momento, no tendremos más que llegar nosotros y subyugarlos. A lo largo de la
Historia, siempre ha sido así.

—¿Y cómo los vamos a dominar si ellos tienen la bomba
atómica y otras más destructivas que, con sólo apretar un
botón, dejarían a nuestras ciudades hechas trizas? —Era en
ese instante cuando el bigote del profesor salía de sus fosas
nasales y su faz adquiría un tono de suficiencia absoluta.

—Decís eso porque dejáis que las apariencias os impresio-
nen. Ya veréis como se devoran los unos a los otros, con ese
individualismo egoísta que los sojuzga. Nos dejarán el campo
libre, sin necesidad de que nosotros hayamos tenido que
empujarlos tan siquiera.

**

5 / 10 / 2000

Buenas tardes, Basi:

Veo que aún estás impregnado del espíritu donjuanesco, un
poco cursi y pasado de moda a todas luces, característico de los

hombres de nuestra época, perdona que te lo diga. Eso marca carácter. No sabéis acercaros a una mujer sino a base de piropos y halagos. Estáis en conquista permanente. Por otra parte, te dejas arrastrar por la nostalgia. Quieres volver a ser aquel muchacho que se enamora secretamente de una adolescente y escribe poemas en su diario. Piensa que ya no eres un chaval, sino una persona muy adulta, casi entrando en la vejez. Tampoco podemos enmendar lo que quedó atrás hace tanto tiempo, por más que queramos arrepentirnos de nuestro pasado.

En cuanto a lo que propones de seguir viéndonos, no sé qué contestarte, después de descubrir tu carácter tan peculiarmente apasionado. Confieso que te encuentro amable y simpático, pero a mi edad ya no estoy para trotes de quinceañera en busca de ligue: ese comportamiento que no conduce más que a frustraciones y dolores de cabeza. Para que continúe nuestra amistad, y por tanto nuestros encuentros, has de aceptar mis reglas: podemos ser amigos, pero sin pasar de ese plano.

***

6 / 10 / 2000

Hola, Evangelina:
De acuerdo. Haré como a ti te plazca. Más vale tu amistad segura que el peligro de pasarme de rosca y causar tu rechazo. Te prometo no traspasar los límites de la amistad. Ya eso es mucho para mí. Gracias por brindármela y, sobre todo, te agradezco que me hayas ofrecido tu valiosa ayuda, en cuanto a lo de mis artículos para CULTURALIA. Pero hay otro asunto que me preocupa. Verás, se me ha ocurrido publicar algunas de las redacciones que, en aquellos lejanos años del bachillerato, le escribíamos a nuestro profesor de Formación del

Espíritu Nacional. He sido capaz de hacerme con muchos de aquellos escritos. Ahora encuentro un problema: no sé si la publicación de esas escrituras, que no me pertenecen, ofenderá a sus propietarios. Sé que, publicadas en una revista de ámbito local, es difícil que llegue a los interesados, pero aún así me gustaría contar con sus respectivos permisos. Como uno de esos redactores es tu hermano, desearía que me ayudaras a convencerlo a propósito de mis intenciones.

Esa idea me vino a raíz de encontrar, en el viejo caserón, en donde hace tantos años estaba ubicado nuestro instituto, una montaña de libretas, folios y otros escritos archivados cuidadosamente por el ordenado bedel Matías ¡Cuántos años hará que desapareció ese hombre! Al darme de bruces con esos antiguos escritos, surgió la idea que te cuento. A lo mejor a nadie interesa lo que escribían unos críos que aspiraban a ser titanes, pero yo, quizás cegado por mi deseo, he pensado que tal vez algún joven de los de ahora se sienta atraído por saber cómo eramos hace medio siglo.

Desde entonces, ha llovido mucho y nuestras vidas han pasado por muchas peripecias. Yo, por ejemplo, cuando abandoné el pueblo me fui a estudiar Biológicas en la Universidad Complutense. Por cierto, que sí recuerdo aquel día que mencionas, cuando nos encontramos en la fiesta de Medicina. Claro que no te presté todo la atención que debía. Fue una táctica. Y al analizar este episodio, desde la distancia que me dan los años, creo que se debió a complejos factores psicológicos: me sentía despechado, quería darte celos. Fíjate qué cosa tan extraña, me sentía despechado por ti, sin que tú me hubieras dado calabazas, sin que hubieras intervenido para nada. En mi cerebro se había fraguado la escena de que me rechazarías en cuanto te declarara mis sentimientos.

Terminada la carrera, amplié estudios en La Sorbona, después trabajé en unos laboratorios de Barcelona, a continuación en el Centro de Investigaciones Científicas de Blanes, y, por fin, volví a Madrid. Sigo investigando en el mismo organismo estatal.

Pero volviendo al tema, aunque don Esteban nos empujase hacia al heroísmo, él no tenía ninguna pinta de superhombre, te digo la verdad. Ahora me doy cuenta de ello. Entonces no veíamos contradicción entre esos hábitos de señorito, de los que se jactaba, y la del héroe austero que nos inculcaba. Que no fuera modestamente vestido, con el uniforme azul de Falange, sino con un magnífico traje sastre, a nosotros no nos chocaba. Que fuera tan perfumado, que adivinábamos su presencia mucho antes de que llegara, no nos llamaba la atención. Que presumiera de haber visitado los mejores restaurantes, no contradecía su prédica sobre la austeridad. Además, ¿lo de fumar ese caro tabaco rubio americano, que sólo los muy pudientes podían permitirse? Tampoco en eso veíamos contradicción, porque don Esteban nos tenía hechizados con sus palabras. En aquellos tiempos, todavía no había llegado el coche o la televisión a las clases medias, pero cuando llegaron, nuestro profesor fue uno de los primeros en Valdepeñas en poseer esos artefactos, invento de los decadentes morales.

***

20 / 10 / 2000

Hola, Basi:

La verdad es que no te comprendo. Creo que sigues anclado en una época superada hace mucho tiempo. Si leyeran tus cartas algunos de mis alumnos universitarios, pensarían que las ha escrito un marciano, como ellos dicen para simplificar, o un hombre del Siglo de Oro. Estás totalmente contaminado por la educación que recibimos de jóvenes, no has podido limpiarte de ella, muy a pesar de la revolución sexual y la liberación de la mujer.

Lo de publicar las redacciones que hacíais en el instituto, me parece una idea aceptable. También me parece bien que consultes con los interesados, antes de dar a la luz sus escritos. En cuanto a mi hermano, puedo comunicárselo, si a ti te parece bien. Si hay alguno más, deberás solventarlo tú mismo.

¿Y don Esteban? Supongo que ese hombre hace siglos que desapareció y sus herederos, ¡sepa Dios adónde paren! En ese caso, no creo que haya ningún problema.

***

21 / 10 / 2000

Estimada amiga:

Como no me gusta contrariar a nadie, he seguido los pasos para obtener los permisos correspondientes. Lo he hecho dentro de mis posibilidades. Ya te contaré cuando nos veamos, porque es largo de contar.

Vuelvo a estar triste –que no enfadado- contigo porque, aunque tú no te lo propongas, me sigues pareciendo aquella adolescente que tanto me atraía y cuyo desdén tanto temía. Es más, con tus rechazos de ahora, vuelvo a sentirme como entonces. Hago borrón y cuenta nueva de lo que he vivido desde entonces: mis ligues, mis parejas, mis hijos. Hay una fuerza irresistible que me hace retroceder a aquellos tiempos, ¿será porque considero un fracaso mi vida y quiero enmendarla?

No obstante, prefiero que volvamos a hablar del tema principal, el de la historia cubana en el que estoy enfrascado.

Recuerdo las conversaciones que mantenía con mi abuelo Golorín, como si fuera ahora mismo. ¿Puedo abusar de tu paciencia reproduciéndote alguna de ellas?

***

—Pero usted, abuelo, ¿fue héroe o no?

—¿Qué es eso, niño?

—¿El qué? Abuelo, héroe viene a ser algo así como valiente, muy valiente. Que uno es tan arrojado que hace un atillo con su miedo y lo domina.

—¿Y a qué viene eso ahora?

—Abuelo, es que estamos haciendo un estudio en la clase, por encargo de don Esteban, sobre los soldados más bizarros de nuestras guerras, y a mí me gustaría hablar sobre usted, en el caso de que lo haya sido.

—Hombre, yo, por mi parte, si no es que me obligan, no hubiera sido valiente.

—Pero abuelo, usted hizo cosas que pudiera ser que mi profesor las considerase como heroicidades. Lo que pasa es que usted es un poco "corto" y le quita importancia a las hazañas que ha realizado.

—No quieras meterme en discusiones de ese tipo, niño. Lo que sí te recuerdo es que yo hice lo que hice porque me arrearon a hacerlo. Si me apuras, puedo asegurarte que fui héroe, o como tú le llames a eso, a la fuerza. Es como si coges a un gallo que está tan tranquilo en su gallinero y lo echas a pelear. En ese caso, todo le resulta malo. Si se recula, lo puede matar el amo y, si pelea, lo puede matar el contrincante. El día de sorteo de los quintos, casi me puse de fiesta. Aunque por el número que había sacado no quedaba exento del servicio militar, al menos no me tocaba ir a las guerras coloniales. Fue un día de muchos nervios. Como mi padre no se había preocupado por mi futuro, ni por el de mis hermanos, todo había que dejarlo en manos de la fortuna. Entonces no existían más señoritos que los de nacimiento. Los muchachos no llevábamos una vida regalada como la que tú has llevado, trabajábamos desde chicos, la vida era dura en el campo.

***

8 / 11 / 2000

Hola, Basi:

Yo también celebro nuestro reencuentro después de tantos años de habernos ignorado. Lamento mucho que hayas llegado a la conclusión de que tu vida ha sido un fracaso. Por todas nuestras cabezas suelen pasar esas ideas cuando nos encontramos en horas bajas. Anímate, que no es para tanto.

Me preguntas por mi abuelo Sorozábal, y yo sólo te puedo responder que, tanto mi hermano como yo, a estas alturas de la vida, sentimos cierta comprensión -que no aprobación— respecto a su biografía. Ya sabes que, en un período, cuando nos creíamos tan radicales, nos avergonzábamos de él. Ahora no tanto, porque sabemos ponerlo en su tiempo y circunstancias: por una parte supo sacar buen provecho de sus batallas y, por otra, también se sirvieron de él aquellos capitalistas avaros que nunca se atrevieron a poner sus vidas en juego, que concibieron las guerras para que otros —algunos militares— les defendieran sus botines.

Es verdad que la historia oficial de mi abuelo es una pura fantasía, montada en función del rendimiento que pudiera destilar su imagen y ejemplo. Pura hipocresía de la que él no tuvo la culpa. Lo que me intriga –porque yo no tengo recuerdos directos de él– es si aquella leyenda que montaron alrededor de su vida era aceptada por él o no. Siento curiosidad por saberlo:

Había participado en muchísimas batallas, siempre salió victorioso. Cada uno de los ascensos conseguidos por él fue a base de derramar su sangre. Se retiró joven y se fue a vivir a Valdepeñas, ya medio destruido físicamente por los mil combates en los que había participado, cada uno de los cuales le había dejado una marca. La jubilación la vivió con un cierto desahogo económico, fruto del ahorro de toda una vida, porque supo vivir a lo espartano durante las largas guerras y pudo ir redondeando un capitalito. Tras su muerte, se le siguió venerando. Cuentan que su funeral fue el acontecimiento nunca visto en nuestra ciudad, incluso se le puso su nombre a una de las plazas principales de la villa. Sin embargo, fue absolutamente desconocido fuera de nuestro terruño. No sabes lo difícil que me resultó seguir sus andanzas a través de mis investigaciones. Se puede decir que Rogelio Sorozábal fue considerado personaje solamente a nivel local. Adjunto te envío material concerniente al tema Guerra de Cuba:

***

"En la clasificación de los mozos se hará: la talla y el reconocimiento del médico municipal que resolverá alguna deficiencia física y, como consecuencia, dictaminará: soldado apto, excluido temporal, excluido total, soldado condicional o prófugo (si no se ha presentado al alistamiento)."

"Este mismo día, los mozos que lo deseen podrán solicitar exención y el Ayuntamiento tendrá hasta el tercer domingo de marzo para ejecutar. El veredicto ha de ser por unanimidad, si no, ha de ser la comisión mixta quien resuelva. Alegaciones que se podían exponer: tener un padre pobre, sexagenario o impedido. Ser hijo de viuda, o de padre que haya luchado en defensa del Rey Alfonso XII."

"Los ayuntamientos echan mano de los párrocos para que les facilite los nombres de los mozos en edad de servicio militar. Por tanto, el pueblo ve al clero también como una autoridad ejecutiva."

***

9 / 11 / 2000

Buenas tardes, Evangelina:

¿Me permites hacerte una confesión?, ¿que vuelva a insistir en el tema de mis relaciones contigo? Te ruego que no lo tomes como una falta a mi palabra, tómalo como un hecho objetivo, sin darle más importancia. Aunque ya te lo he insinuado, sabes que estaba muy enamorado de ti. Pero es que, a eso, has de añadir que yo era un muchacho humilde que había puesto los ojos en una chica de clase social superior a la suya. Reconocerás que entonces las clases sociales jugaban un papel importantísimo en las relaciones humanas. Mirándolo desde la perspectiva de la edad que ahora tengo, creo que el interés que sentía porque se reconociera la heroicidad de mi abuelo y la rivalidad que quise establecer con la memoria del tuyo, venían dados por otros deseos inconscientes, que no reconocí entonces. Naturalmente fui derrotado, dado el currículum de hazañas de tu abuelo. Nunca conseguí demostrar que mi alcurnia estuviera a la altura de la tuya.

En definitiva, en todas las etapas de mi vida has jugado, aun con tu ausencia, un papel importante. Si sacaba buenas notas en las asignaturas de la carrera, me sentía satisfecho en función de que tú te sentirías orgullosa de mí. Lo mismo pasaba con mis éxitos profesionales. Cuando alcanzaba una meta, me decía que ya había superado la barrera social que me alejaba de ti. Evangelina enquistada en mi cerebro.

Evangelina, ¿ni siquiera te suena la cara de mi abuelo? Casi es imposible que no lo hubieras visto nunca de niña. Seguramente que te habías cruzado muchas veces con él, pero no te fijaste porque no era ni de tu barrio ni de tu ambiente. No obstante, ¿te importa que te hable de él?

En el pueblo, no todo el mundo lo conocía como Basilio Xantal Romero. Es más, muy pocas personas lo llamaban por ese nombre. Era conocido, por encima de todo, con el apodo de Golorín. Nunca he podido averiguar a qué hecho o anécdota se debe ese sobrenombre. Si se hubiera preguntado entre sus contemporáneos, la mayoría hubiera dicho que el Golorín no era ni más valiente ni más cobarde que otra persona cualquiera del pueblo. Eran pocos los que recordaban que sí protagonizó hechos que, pregonados con buen marketing, lo hubieran consagrado como decidido y arrojado. Eso como mínimo. En otra ocasión te contaré algunos que merecen ser destacados.

En los tiempos jóvenes de Basilio Xantal, se ve que la gente era menos aventurera. Estaba clavada con hondas raíces a su lugar. Desde mi punto de vista, el abuelo debería estar contento de ausentarse, por tres años, de su lugarejo en busca de otros horizontes y otras aventuras. La vida que había llevado, hasta ese momento, no era ni muelle ni feliz. Si no empezó a trabajar de bebé, es porque a esa edad no se le podía sacar provecho. Desde bien pequeño tuvo que acompañar a su madre al campo ya que ésta, mientras realizaba las faenas agrícolas, lo depositaba en una cuna improvisada, entre dos surcos. El Golorín chiquitín había de sufrir los rigores de la Naturaleza, bien fuera del frío, de la escarcha, o del calor, por muy envuelto en pañales que estuviera; por muy a la vera del fuego que permaneciera; por mucho sombraje, mal construido con unos haces de mies, que le hubieran preparado.

***

—¿Y no tenía usted miedo, abuelo? Quiero decir que si no tenía miedo de estar solo, en el campo, con el rebaño.
—¿Miedo de qué?
—No sé… Miedo de que viniera el lobo. Miedo a que se dispersara el ganado.
—De que tuviera miedo, no me acuerdo. De lo que sí me acuerdo es de tener la terca preocupación de que no se me perdiera ningún animal. No era por la paliza que me pudiera dar mi padre –que el dolor se pasa y ya está– sino por la pérdida en sí. Es que yo era muy cabal, ¿sabes? Las economías de las casas iba tan ajustadas que cualquier pérdida se tomaba como una pequeña o gran desdicha –según el valor de lo perdido– Y, desde bien pequeños, nos dábamos cuenta de que, si nos desaparecía algo, eso nos iba a obligar a apretarnos el cinturón más todavía. El caso es que, por más que trabajáramos toda la familia, siempre había un quebranto que nos hacía retroceder. Cuando no era la sequía, era la filoxera, o el pedrisco, o la helada, o un animal de producción muerto. Por eso tenía yo tanto desvelo en que no se me muriera ninguno. Hasta los dos perros, que me acompañaban en el pastoreo, eran para mí una posesión preciada, porque me ayudaban y sabían mantener a raya al ganado. Y de eso que dices de

miedo, ahora me acuerdo de un día que estuvo en un "tris" de que se me ahogaran varias ovejas. Las cabras no, porque se sabían defender mejor. Pero yo logré salvarlas con la poca edad que tenía.

—Abuelo, ¿y cuándo jugaba usted? Como era un niño, supongo que a esa edad tendría usted ganas de jugar y de juntarse con otros muchachos.

—Claro que jugaba, ¡a ver qué lástima! Si estaba en la edad de juguetear, tendría que hacerlo, y no hay más tu tía. Siempre hay un roto para un descosido, como se suele decir. Mis amigos eran los animales, sobre todo los perros. Mis juguetes, las piedras, y los pájaros… En fin, cosas de esas, a falta de otros chiquillos. Había aprendido a poner nombres a cada una de mis ovejas, o de mis cabras y sabía conversar con ellas. Que ya ves, de todos los trabajos que he tenido en mi vida, el que más me ha entretenido ha sido el de pastor, porque, dejando de lado el peligro de las nubes, te puedes distraer mucho si sabes tratar a los animales. ¡Pues no le gastaba yo bromas a la "Lucera" o a la "Pardita"! ¡Pues no jugaba yo con mis perros! "Poderoso, busca" y hacía como que lanzaba una piedra. Era una burla que le gastaba al animal. Y éste se volvía loco porque no encontraba la piedra que yo le había mandado buscar. Luego tenía que calmarlo y decirle que no buscara más, que es que me estaba choteando de él. No te creas que no era más satisfactoria mi relación con los irracionales que con los humanos. Con aquellos, yo siempre llevaba las de ganar; con estos, unas veces ganaba y otras perdía. Mis hermanos mayores siempre me hacían de rabiar. Yo me desquitaba haciendo lo mismo con los más pequeños. Desde luego, hijo mío, que la vida era muy arrastrada, si te pones a mirarlo detenidamente. El ganado no tiene días de fiesta. Todos los días tiene que comer; todos los días lo tenía que sacar al campo. De muchacho, pocos días de celebración disfruté. Recuerdo alguna feria en la que me daban para comprar cuatro almendrillas garrapiñadas. Esa era la diversión de la que gozaba en todo el año. Esa es la golosina que ha quedado en mi memoria.

—¿Y cuándo iba usted a la escuela?

—Entonces no se estilaba la escuela para la gente normal y corriente. Ten en cuenta que los muchachos como yo no hubiéramos podido ir. Bastante teníamos con trabajar. No teníamos tiempo para más. Por las noches estábamos tan rendidos que caíamos como una piedra en el jergón o en el saco de paja, sea que tuviéramos que dormir en la cuadra con los animales, o en la cocinilla de los gañanes. Al minuto de tumbarme ya era como un leño.

***

1 / 12 / 2000

Hola, amigo Basi:

¿Ves? En eso te doy la razón. Hasta te agradezco tu sinceridad. Excepcionalmente, no te reprocho el incumplimiento de tu palabra. Está bien que hayas tenido la valentía de descubrirme tus cartas. Confesión por confesión: acepto tu punto de vista, respecto a esa época de nuestra juventud. Estoy de acuerdo en que entonces las barreras sociales eran casi infranqueables. También la adolescente que era yo estaba poseída por esos prejuicios. Era una filosofía muy interiorizada en mi familia. Cobijarnos bajo la sombra del gran Sorozábal nos daba mucha categoría en Valdepeñas. No te niego que nos consideráramos de una casta superior y que no deseáramos mezclarnos con cualquiera. Sin embargo, como no llegó la ocasión de ponerte a prueba, nunca te vi como perteneciente a una casta inferior. Simplemente te veía como a un compañero de mi hermano y, por tanto, tan digno como él y… atractivo, por cierto.

En todo caso, hace tiempo que ya no rigen esas reglas porque la sociedad ha cambiado; se ha democratizado. Pero dejemos en paz el pasado y no nos abandonemos a su influencia. Ni siquiera permitamos que nos empalaguen sentimientos y añoranzas de entonces. Vivamos el presente como si partiéramos de cero. Adjunto más fichas.

***

Carta de un capitán de infantería, dirigida a un familiar y publicada por LA ÉPOCA (1896):

"A fin de darte una pequeña idea de la vida activa que estamos llevando y, sin parar en ningún sitio, te dirijo estos cuatro renglones; mucho más te contaría, pero no tengo tiempo para ello. El día 16 del actual nos batimos heroicamente. Tres horas de horroroso fuego por ambas partes. Éramos mil hombres nosotros contra siete mil cafres de las partidas del feroz Maceo y sus principales cabecillas. Hicieron esfuerzos heroicos los mambises, sobre todo los de Maceo, tratando siempre de envolvernos y de coparnos. Otras tres horas más sostuvimos unos y otros el fuego incesante y, sobre todo, bajo una lluvia torrencial que nos tenía hechos una sopa. Nos entraba el agua por el cuello y nos salía por las perneras. Por fin empezamos a ganar terreno avanzando hacia la manigua, pero estos bandidos cobardes nos esperaban escondidos con grandes fuerzas mientras otros se iban retirando. Casi todas las fuerzas de ellos eran de caballería (…) El enemigo sufrió tan grandes pérdidas que muchos grupos de aquellos salvajes se ocupaban en cargar sus muertos y heridos, llevándoselos en caballos. Este día ha sido de prueba y galardón para nuestras armas, pues los destrozos causados al enemigo han sido muy grandes. Por los campamentos corren muchos rumores de una paz próxima. Quiera Dios que sea una verdad y que ésta sea con honor para nuestra madre Patria."

***

3 /12 / 2000

Querida amiga:

Hay que ver cómo nos puede marcar la adolescencia. Creo que en todos los fracasos con mis distintas parejas has estado presente tú: la Evangelina ideal que yo buscaba en cada una de ellas y que no encontraba.

Mas dejemos ese tema porque sé que te molesta.

Te agradezco mucho todo lo que estás haciendo por mí. Me viene muy bien todo ese material de hemeroteca que me estás enviando. Sé que a ti te cuesta menos agenciártelo que a mí. Ya sabes que, aunque sea experto en investigación biológica, no lo soy en la histórica.

A continuación, adjunto dos textos de nuestros años escolares. La primera redacción es mía y, espero que te gusten las sorpresas, la segunda fue escrita por tu hermano. Quedo a la espera de tus comentarios.

***

Valdepeñas a 23 de febrero de 1956

Redacción:

Don Esteban, mi abuelo no sólo fue un valiente en la guerra de Cuba, sino que lo vino siendo, por obligación, desde su nacimiento. Si comparamos su vida de niño con la de cualquiera de nosotros, vemos que había de echarle mucho valor para superar cada jornada. Mientras nosotros estábamos bien abrigaditos y alimentados por nuestras familias protectoras, él se tenía que ganar el sustento diario; escaso, por cierto. No tenía juguetes, no tenía amigos, no tenía tiempo para el esparcimiento. Así fue creciendo hasta hacerse un mozo valiente y un soldado capaz de las más asombrosas hazañas. En realidad, desde muy crío, se estaba entrenando para escalar las más grandes cimas del sacrificio. Creo que era parecido a esos soldados espartanos, de los que tantas veces nos ha hablado usted; los que empezaban a instruir desde niños. También se puede comparar con la formación que habían recibido la hueste que acompañaba a Hernán Cortes, Pizarro y otros grandes conquistadores. Porque Basilio Xantal dio pruebas de valor ya siendo casi una criatura de pecho. Por ejemplo, un día que estaba en el campo, a donde se lo llevaba su madre cuando acudía a las tareas agrícolas, fue capaz de vencer a una culebra que se acercó a él, quien sabe si con la intención de zampárselo. Mi abuelo era tan chico que no recuerda el hecho por sí mismo, sino por lo que le habían contado sus mayores. Haciendo conjeturas, se pudieron dar cuenta de cómo se había desarrollado el sucedido. Dicen que, cuando los adultos se quisieron dar cuenta, ya estaba el niño con la culebra muerta en la mano. Jugaba con ella como si fuera un látigo. Las averiguaciones decían que el reptil goloso se había dado cuenta de que, cerca de él, tenía a un chiquillo indefenso, que podía engullir, sin más, y ya dedicarse el resto del año a la hibernación. Pero, el que parecía un ser desamparado, no era tal, porque cogió dos piedras, una en cada mano, y aplastó la cabeza del ofidio, antes de que lo pudiera atacar. Y, como la cosa más natural, sin impresionarse siquiera, se puso a jugar con el cadáver de la bicha. Así tuvo distracción hasta la hora de comer. Y yo me pregunto, ¿cómo se iba a asustar cuando, ya mozo y soldado en la guerra de Cuba, se tuviera que defender de esos reptiles enormes que andaban por el Trópico? Para él no era nada nuevo tener que lidiar con los bichos del campo. Estaba acostumbrado a vérselas con la Naturaleza cara a cara. Lo mismo digo con el calor y el frío: su pan de cada día. Era tan valiente que la compañía en la que él servía no daba un paso sin haberle pedido antes consejo. Desgraciadamente no tenía estudios, ni siquiera los más elementales. En caso contrario, quién sabe si hubiera llegado a General y muchos historiadores se hubieran dedicado a contar sus gestas. Otros días le referiré, a través de mis redacciones, las numerosas hazañas que llevó a cabo y, aunque no estén certificadas por ninguna medalla, sé que son verdad porque me las ha contado él.

***

Valdepeñas a 23 de febrero de 1956

Redacción:

Mi abuelo Rogelio Sorozábal Padilla llegó a tener tantos méritos que se hizo acreedor a que una de las principales plazas del pueblo llevara su nombre. Como era un hombre muy sencillo, nunca se hubiera imaginado tal honor. Apenas me acuerdo de él, porque murió cuando yo era muy chiquitín. Todo lo que sé es porque me lo han contado mi madre y mis tíos. Como nos indicó usted, don Esteban, voy a ir relatándole las muchísimas gestas señaladas que realizó durante toda su vida, destacando lo que hace mención a la guerra de Cuba, sin olvidar las de África, en las que también participó.

Por lo que me cuentan de él, era un hombre bien plantado, de esos que hacen tilín a las mujeres: alto, bigotudo, con una cara agradable, ojos azules, pelo castaño, tirando a rubiales. Mi madre dice que, por donde pasaba, causaba la admiración de las hembras, y hubiera sido un don Juan, si a él le hubiera dado la gana. A eso súmele que nunca le faltaran, gracias a Dios, cuatro perrillas en el bolsillo. Mi tío Rogelio agrega que había mucha gente en el pueblo que lo trataba de medio loco, pues, pudiéndose librar de las guerras coloniales, no lo hizo. Es más, de jovencito se prestó voluntario para luchar en todos los frentes. No tuvo inconveniente en acudir a defender, con su vida, a la Patria. Acudió a socorrerla allí donde los enemigos querían herirla. Porque quienes lo criticaban eran esos cobardes que se quedaban en sus casas aprovechándose de que sus familias tenían para pagar sus redenciones. No habría más que tomar como ejemplo a don Ramón. Por lo visto, ese hombre andaba diciendo, a quien le quisiera oír, que él, y otros como él, estaban haciendo más por la defensa de la Patria que lo que pudiera hacer mi abuelo, pues contribuían, con sus dádivas, al sostenimiento de la guerra. Le dijo a mi tío Rogelio "Tu padre no hizo otra cosa que ejercer su oficio, que para eso cobraba sus buenos cuartos y hasta hizo capital en el Ejército. En cambio yo, además de pagar mis ocho mil reales por la redención, también contribuí con otros donativos. ¿Cómo iba a haber cobrado tu padre su sueldo, si no hubiera sido porque los demás nos rascamos el bolsillo?". "Pues mi padre, además de con su sangre y sudor, seguro que también participó con su dinero" —le contestó el tío Rogelio—. "En eso creo que te equivocas, muchacho. Tu padre será un héroe y todo lo que tú quieras, pero también sacó sus buenos beneficios de sus guerras. Que no creas que vuestra familia gozaba de tanto bienestar antes de que Sorozábal fuera soldado". "¿Qué quiere usted decir?". "Lo que digo. A buen entendedor, con pocas palabras bastan". Dijo mi tío Rogelio que no le cruzó la cara al tal don Ramón por respeto a sus canas, pero desde entonces todos los miembros de mi familia nos declaramos enemigos de la suya.

Ay, don Esteban que me voy por las ramas y no le cuento a usted cosas de mi abuelo, que es para lo que hago este escrito. Como dice usted, las nuevas generaciones hemos de seguir los pasos de aquellos superhombres que nos trazaron el camino. "Hemos de rebuscar en los detalles de esas vidas que fueron espejos en los que nos hemos de mirar. Cada uno de los instantes conflictivos que vivieron, de los que salieron airosos a base de tenacidad y valentía, nos debe orientar en el camino que nosotros hemos de tomar cuando se nos presente una situación adversa".

Aunque aparentemente la familia de Rogelio Sorozábal Padilla fuera de la clase pudiente, casi noble, ya que algún antepasado nuestro tuvo el título de hidalgo, "la vida da muchas vueltas, como el canjilón de una noria, y unas veces se está arriba y otras abajo", suele decir mi madre y añade que, "en tiempos de las guerras coloniales, nos pilló más bien en la parte de abajo, casi ahogándonos en las dificultades económicas. Pero eso no tiene nada que ver con que no hubiéramos podido reunir el dinero suficiente para redimir al abuelo, en caso de que hubiera sido necesario". Mi madre hablaba como si ya hubiera existido en los tiempos mozos de mi abuelo. "Por tanto, ¡a ver si el tal don Ramón no era un bocazas! Nuestra familia, desde hace siglos, ha sido digna de crédito. No hacía falta disponer del dinero en el bolsillo. Cualquiera hubiera podido prestarle caudal, con toda confianza, en el momento que hubiera tenido necesidad de ello. Así es que, por ese lado, nadie nos puede atacar. El abuelo fue a las guerras no sólo porque no quería ocultarse bajo las faldas de su madre, sino porque era un patriota y tenía muchas ganas de demostrar su valor y su amor a la nación". Rogelio, desde pequeño, realizó proezas que causaron la admiración de sus convecinos. Apenas adquirido el uso de razón, ya tuvo ansia por aprender la doctrina cristiana, base y orientación de su obrar en la vida. Dejó memoria como el chico que se sabía el catecismo, de pe a pa. Un sacerdote, al que llamaban don Nicolás, fue su maestro. Además del catecismo, le había enseñado a leer, escribir, las cuatro reglas, historia sagrada, historia en general… En fin, todo lo que se pudiera aprender en aquellos tiempos. Porque, además, era muy listo. Si no estudió bachillerato y una carrera fue porque en aquella época no había instituto en nuestra ciudad y su padre no disponía de los recursos suficientes para enviarlo a Madrid.

✳✳✳

14 / 12 / 2000

Hola, Basi:

Aunque intentes provocarme —siendo esa provocación una presión— no lograrás convencerme. Tu relación conmigo no puede pasar de la amistad. No querer tener ningún compromiso contigo es consecuencia del fracaso que ha sido mi relación con los hombres, no porque siga conservando el clasismo de hace cincuenta años y te siga viendo como de una casta inferior a la mía. Eso también lo deberías saber tú, si es que son verdades todas las que me cuentas, respecto a tu relación con el sexo contrario. Mi primera pareja se portó tan desagradablemente conmigo –aunque sólo fuera en el aspecto psicológico– que hubiera debido quedar curada de espanto y no volver a tropezar con la misma piedra. Con ese primer compañero concebí a mis hijos, aunque entonces comprendí el misterio de la Virgen: tuvo el hijo, sin romperse ni mancharse. Quiero decir que, para mí, no hubo la menor concupiscencia en el acto de engendrar a mis retoños. Seguramente todo el goce se lo llevó mi compañero, porque yo poco participé en sus ceremonias. Esto no fue reconocido en absoluto por mi partenaire que, en vez de agradecerme el placer que le daba, me lo echaba en cara. Y el comportamiento de reproche trascendía a otros campos de nuestras relaciones. El sexo equivocado era el epicentro que irradiaba a todos los puntos de nuestra vida matrimonial. Ya ves que también sobre mí estaba pesando esa "mala" educación que recibimos en nuestra juventud, por más que teóricamente fuera una acérrima defensora de los derechos de la mujer.

En el único campo en que me siento segura, es el de mi profesión: mis clases en la Facultad, mis investigaciones históricas y mis libros. Por eso, no tiene ninguna importancia la pequeña ayuda que te envío. A mí no me cuesta trabajo, como tú dices. A cambio, tú me recompensas con esos artículos de CULTURALIA que a mí me hacen tanta gracia. En ellos queda reflejado el espíritu arrogante, a la par que ingenuo, con que escribíais esas redacciones de adolescentes.

Te repito que nuestros abuelos fueron víctimas –cada uno a su manera– de una burguesía egoísta, poco creativa, patriotera y con el temor de perder el chollo de las ricas colonias de ultramar, de donde sacaban buenas tajadas. Pese a tu opinión –más bien prejuicios– contra mi abuelo, he de decirte que de él también se aprovecharon. (Deduzco que, tanto tu abuelo como el mío, algo se cobraron de lo que se les debía por arriesgar sus vidas. No fue ese el caso de tantos que lucharon en esas guerras, que pagaron con su sacrificio, o su sangre, sin recibir recompensa alguna, antes al contrario, quedaron miserables para todo el resto de sus vidas). Lo que sí puedo reconocerte es que, como consecuencia de la interpretación que esos opulentos hicieron de su memoria, pudieras llegar a conclusiones equívocas. Pero ese no era su problema –el de Rogelio, mejor dicho– sino el de aquellos que pretendían sacar beneficio de sus proezas. Crear un ídolo siempre es útil para las generaciones venideras. Además que, identificándose con él, en cierto modo, se estaban glorificando a sí mismos. Es muy útil tener un héroe a mano: un individuo que saca las castañas del fuego a aquellos que quieren mantener sus privilegios sin exponer nada a cambio ¡Que se lo solucione el superhombre!

Más fichas:

***

"En la despedida de los soldados que se iban a Cuba, en los pueblos, se preparaban fiestas en la que se obsequiaba a esos quintos con comidas burguesas que, muchos de ellos, nunca habían probado: albondiguillas, pepitoria, natillas. Se les daba de beber mistela. Algunos vecinos daban reales a los reclutas."

"En el barco, la sed era terrible y no se calmaba. Muchos subían hasta un aljibe que había en cubierta y chupaban de su pitorro para absorber una gotas más."

***

15 / 12 / 2000

Querida Evangelina:

Veo que sigues barriendo para tu familia, por más que digas que no le das importancia a tu abuelo. Es natural, al fin y al cabo también me pasa a mí, ya lo estás viendo en mis escritos. No es mi intención quitar ningún mérito a tu antepasado. Si te he causado esa impresión, te pido disculpas por ello. Ni siquiera en aquellos lejanos tiempos de nuestra adolescencia, cuando yo trataba de ensalzar a mi abuelo, quería quitarle ningún mérito al tuyo. Por otra parte, te agradezco que me vayas sacando algunos trapos sucios de Sorozábal. Eso contribuye a hacerlo más humano. Como comprenderás —y ya te lo prometí— nunca haré pública esa confesión tuya. Dejemos al santo en su peana para quien lo quiera adorar, si es que aún le quedan fieles.

***

—Abuelo, entonces, según me contó, ¿nunca tuvo amigos?

—No es eso, niño, a lo largo de mi vida, claro que he tenido varios amigos. Lo que pasa es que, de muchachejo, no me podía permitir esos lujos. Siempre andaba esclavo de mis quehaceres, no andaba sobrado de tiempo para salir a jugar con nadie. A modo que me fui haciendo grande, ahí sí, ahí ya pude labrar amistades y dedicar tiempo a mantenerlas. Eso ocurrió cuando subí de grado en la familia. Quiero decir que dejé de ser pastor para pasar a ser primero jornalero y, después, gañán. Que cada oficio tenía su aquel de esclavitud, pero con las labores agrícolas podía descansar algún domingo de invierno, o cuando había temporal, ya me quedaba algún rato más de holganza. —El abuelo era muy cachazudo en sus exposiciones, en lo que no era el único, porque, a todos los viejos de aquella época, los recuerdo expresándose así. No tenía nada que ver con el carácter y el temperamento del individuo que hablaba -eso se reservaba para dentro- sino con la moda que entonces había.

—¿Cuándo comenzó usted a ejercer esos oficios del campo? ¿Fue antes de irse a la mili, a las guerras y a todas esas aventuras?

—¡Claro, niño, mucho antes! Un poco más grandecillo que eres tú ahora. A lo mejor a los quince o dieciséis años. Por aquel tiempo, los hombres eran muy distintos a los de hoy; que la gente parece ahora de mantequilla.

—¿Por qué dice usted eso, abuelo?

—Pues porque, en los tiempos que corren, os hemos aislado, a los muchachos, de muchos de los enemigos que nosotros teníamos entonces.

—¿Qué es eso de enemigos?

—A ver si me comprendes. Quiero decir que, cada día, cuando te levantabas, no sabías cómo ibas a llegar a la noche, porque te estaban acechando muchas enfermedades que te querían llevar a la tumba. No es como ahora que, con los adelantos de los médicos, a lo mejor te agarran esos males y te quieren llevar, no digo que no, pero hay muy pocos que lo consigan. En aquel entonces, no. Había muchos motivos para estar acojonado. Cuando por las noches llegabas al corralón con el ganado, te enterabas de que a fulano o a mengano se los había llevado el cólico miserere, la tosferina, la pulmonía, la viruela, el sarampión o ¡qué sé yo qué! Se te metía el miedo aquí, en el estómago, como si se te hubiera escondido una rata que te fuera royendo. "¿Cuándo me tocará a mí?", te preguntabas. Porque rara era la casa a la que no llamara, de tanto en cuando, la parca. Los muchachos y los viejos no creas que estábamos muy seguros en este mundo. Y no era la muerte en sí, sino todo aquello que la rodeaba y que también te metía el roe-roe en el cuerpo: que si te cruzabas con un gato negro, ya estabas temiendo la desgracia que se te iba a venir encima. Que si veías atravesar la calle un entierro. Que si la bicha se enrollaba en la pata de un animal. Miles de cosas que sabías que te podían traer la desgracia. Y, cuando no era el revés de la enfermedad de una persona, era la de un animal. Ya te he contado muchas veces cómo temíamos perder a los animales o a las plantas, porque mermaban la economía. Y tener menos alimento significaba exponerse a más enfermedades. Fíjate niño, cómo serían las cosas que lo mismo se me quedaron fijadas en la memoria la muerte de mi hermanillo Ramoncillo y la de la Sultana, la mula tan briosa que teníamos. Dos desgracias que causaron mucho alboroto en la familia.

—¿Se le murió a usted un hermano?

—¡Vaya, cómo te lo cuento! ¡Más mono y más fuerte que era! Se fue en un suspiro. La gente decía que, como era un ángel, se lo habría llevado Dios al sitio que le pertenecía; que era demasiado delicado para los trajines que le esperaban en este mundo. Era un modo de resignarse como otro cualquiera. Lo que no sabíamos explicarnos era por qué le había tocado a él y no a otro. Cualquiera de nosotros podía acabar pagando el tributo a la de la guadaña y fue él, el pobrecillo, al que le tocó. El tiempo va tachando los sufrimientos de la cabeza, de forma que ahora ni siquiera te puedo explicar cómo era mi hermano. Ni un mal retrato quedó de él. Lo que nadie me ha borrado de la cabeza ha sido el revuelo que se armó en mi casa en esos días. Eso lo tengo muy presente.

Llegamos mi hermano Santiago y yo al corral, a encerrar las ovejas, y nos encontramos a nuestra hermana Virtudes esperándonos. Ya eso nos puso sobre ascuas, algo fuera de lo común ocurría. Que nuestra hermana se hallara en ese lugar, mano sobre mano, esperando a que nosotros llegáramos, no era cosa común. Es más, era la primera vez que eso ocurría. Con sólo ver la cara de Virtudes, supimos que las noticias que nos iba a dar no eran nada agradables. Y, a partir de ahí, todo fueron dolores y llanto. "El niño ha caído malo, con unas calenturas muy graves", nos dijo. De nada valió sacarlo de su jergón y darle el regalo de colocarlo en la cama de nuestros padres. De nada valió llamar a la saludadora. De nada valió llamar al médico de pago. Al chiquillo le llegó la hora y sanseacabó. No pudimos hacer nada contra los poderes que estaban por encima de nosotros.

—Abuelo, ¿qué poderes son esos?

—Niño, quiero decir Dios, la Virgen, los santos, la autoridad, la Guardia Civil, los señores importantes, los curas...si me apuras, también los padres. Eran los que tenían en sus manos atemorizarnos. Bueno, como te iba diciendo, los tres o cuatro días que mi Ramoncillo estuvo con las calenturas, antes de irse para el otro barrio, yo los pasé cargado con una congoja que se me puso en la garganta y que, a ratos, no me dejaba respirar. De nada servía intentar dar la espalda a la realidad, ésta se te metía dentro del cuerpo y no la podías echar. Salía al campo y atendía a los animales, pero la estampa de mi hermano en la cama, ahogándose, no se me borraba. Por las noches, pegado a mi jergón, como si me quisiera hacer uno con él, me venía la imagen de la agonía de Ramoncillo. En la soledad del campo, pastoreando, me ponía a rezar con las pocas palabras que sabía para dirigirme al Señor. Aquella sensación rara que apareció en mí, por primera vez, se repetiría a lo largo de mi vida, pero la primera es la que queda pegada en la cabeza con más fuerza.

—Abuelo, no se ponga usted triste. No recuerde los malos momentos. Me estaba usted hablado de los amigos y ha derivado en la angustia. Vuelva usted al asunto con el que había empezado.

—Ah, bueno, sí. Al dedicarme a la agricultura tenía algunas tardes de domingos libres y podía reunirme con los amigos. Que, una vez que te los echas, no hace falta que te estés "ajuntado" con ellos siempre. Aunque no sea en el bar, o en las cocinillas de los gañanes, en donde se celebraban las cuervas de los domingos; aunque sea que piensas en ellos, siempre está presente la amistad. Si te los encuentras por el camino, cuando vas a acarrear la mies, te alegras mucho, paras la galera y echas con ellos un rato de palique. Lo mismo pasa cuando te cruzas con alguno por la calle. O en la fragua, cuando vas a aguzar las rejas del arado. O en el herradero... En fin, que era diferente de cuando mi oficio era el de pastor y siempre andaba en la soledad. El más amigo que tuve fue el hermano José, el que lleva por mote Piqueras. No es que me faltara la amistad de Requena o del Pepinillos... ¡y con otros muchos!, pero con ninguno intimé tanto como con José.

—Y en Cuba, ¿no hizo usted amigos?

—Bueno, sí que hice. Y hubieran sido íntimos, de haberlos tenido a mano. Lo que pasa es que, los pocos que sobrevivimos, cada cual se fue a su terruño y no volvimos a saber más los unos de los otros. No pudimos escribirnos siquiera, porque algunos no sabían de letras y, los que sabíamos, no teníamos tiempo para hacerlo. No es lo mismo que los que conservabas en el mismo pueblo y, si me apuras, en el mismo barrio, con los que era más fácil toparte. A lo que íbamos; con el Piqueras siempre me ha unido una buena amistad. Siempre hemos estado el uno al lado del otro, sobre todo en los momentos difíciles. ¡Lástima que no estuviera a mi vera cuando me llevaron a la isla!

***

2 / 1 / 2001

Estimado amigo:

Me sorprende la impresión que he causado en ti, respecto a Rogelio Sorozábal. En ningún momento se me ha pasado por la cabeza defenderlo y, mucho menos, hacer valer la posición social que él nos dejó por herencia. Si alguna vez he gozado de ella, ha sido un acontecimiento ajeno a mi voluntad. Hace tiempo que dejé de glorificar a mi antepasado, ya lo sabes.

Ahí te envío un motón de material, principalmente de hemeroteca, aunque también lo hay de otras fuentes. Utilízalo como te plazca. No debes hacerte el modesto y quitarle mérito a tu trabajo. Que se publique en una revista local, no le resta importancia. Lo substancial es que tú estés satisfecho con lo que haces y, a mi modesto entender, debes estarlo, dado que lo has escrito con honestidad.

En cuanto a lo que me contabas de manipulación, creo que de una forma u otra, todo el mundo, aun los que nos creemos más objetivos, manipulamos a beneficio de nuestra tesis o intereses momentáneos. Está bien, por tanto, que recuperes esas redacciones adolescentes, en las que se puede ver el punto de vista de las autoridades de entonces. El ver desde fuera el comportamiento de mi abuelo durante su estancia en el Ejército me produce mucha desazón.

Desde luego, he procurado distanciarme, desde muy joven, de la protección de mi familia y labrarme un porvenir por mí misma. Dedicar toda la fuerza de mi voluntad al estudio, era porque quería apartarme económicamente, pero también de la mentalidad de los míos. He pasado por todas las etapas que una mujer de nuestra generación ha podido pasar, desde el izquierdismo, la lucha por la liberación femenina, hasta la influencia hippie. No obstante, siempre he padecido el dominio del hombre. No te extrañe, por tanto, que os tenga una cierta prevención. Habitualmente he sacado más satisfacción de la simple amistad con los hombres que de mis relaciones sentimentales.

Documentos adjuntos:

***

"Ya entonces, observa algún analista, había una superioridad de hombres del ejército español frente al americano. Nuestro ejército era el reflejo de una sociedad poco igualitaria y muy clasista. Los soldados, llevados a la fuerza por falta de dinero para redimirse, no estarían muy motivados, aunque lucharan con valor. Los oficiales también trataban de "escaquearse" y quedarse en la Península, a excepción de los chusqueros o los que querían obtener medallas."

"Hay manifestaciones en 1896, en diversas ciudades. Las organizan los patrioteros que intentan atraer, de diversos modos, a las gentes de los barrios bajos. Tenemos noticias de que se han organizado en Madrid, Barcelona, Salamanca, Zaragoza, Cádiz, Málaga, Bilbao, Santiago de Compostela y Almería. Los gritos más corrientes son. ¡Viva España! ¡Mueran los negros! ¡Mueran los yanquis! Hay proclamas patrióticas de los obispos y de los gobernadores." (De los periódicos).

***

3 / 1 / 2001

Querida amiga:

La prueba de que valoro tu amistad, por encima de todo, es que intento apartar de mí ese comportamiento adolescente del que me acusas cuando me dirijo a ti. Reconocerás que he sido muy correcto en mi relación contigo.

Como tú, yo también he tenido experiencias negativas y por partida doble; he estado emparejado dos veces; pero eso no es óbice para que te exprese la admiración que siento por ti en todos los sentidos. Como ves, sólo te lisonjeo -alabanzas merecidas, desde luego— por escrito y nunca cuando estás a mi lado. Si aun así te molesta, te prometo no hacerlo más, pero me gustaría que tuvieras presente que te respeto demasiado como para iniciar ninguna maniobra que pudiera herirte.

Por otra parte, ya sabes que yo, mucho más que tú, he sido víctima de algunos desamores. Por eso, mi resabio debiera ganar al tuyo. Al fin y al cabo, la relación con tu segundo marido —según me cuentas— acabó con amistad y bien. No fue ese mi caso. De mis dos enlaces salí con enemistad y odio. Mi primera mujer transmitió, hasta donde pudo, ese rencor a mis hijos. Ellos tampoco me miran con buenos ojos. De la segunda, sólo guardo recuerdos desagradables, principalmente de traiciones.

***

—Abuelo, me tiene usted que contar todas sus proezas; las que realizó aquí, en el pueblo, antes de ser quinto.

—Niño, ¿qué te traes entre manos?, ¿a qué viene ese comportamiento y esas palabras raras?

—No son palabras raras, abuelo. Son muy corrientes en los tebeos de Roberto Alcázar y Pedrín y en los de El Guerrero del Antifaz.

—¡Quita de ahí! Yo siempre he sido una persona normal.

—Yo sé que usted ha hecho cosas que la gente ordinaria no es capaz de hacer.

—Porque no se la pone a prueba. Yo sé que nadie se conoce tanto a sí mismo como para saber cómo obraría en un caso de precisión. Además que, en una situación comprometida, tampoco es que te arrojes de cabeza al agua sin dudar, que hay un momento en el que estás en un tris de volverte atrás. Lo mismo te acobardas que te envalentonas, cuando estás en el filo de la navaja.

—Abuelo, me pone nervioso que sea usted tan "corto". Debe usted reconocer sus méritos. Tampoco se va a ninguna parte con tanta sencillez. Si no se valora a usted mismo, nadie lo va a hacer en su lugar.

—Y a ti, ¿por qué te da por alabarme tanto? Si tú quieres darte importancia de algo, hazlo de ti mismo y no de mis méritos. Así no vas a llegar a ninguna parte.

—No es eso. Es que me da rabia que otros, con menos cualidades, consigan tantos éxitos. Ahora me acuerdo de aquella noche de cuando el fuego, de cuando salvó el ganado.

—Niño, las cosas no son tan simples como parecen: hay un fuego y el muchacho valeroso -sería de tu edad, más o menos- arriesga su vida para salvar la de los inocentes animales. No es así. Hay que considerar que ese muchacho está lleno de satisfacción porque contribuye, considerablemente, a la economía de la familia. Se siente ya un hombre, aunque sea un niño. Como tal hombre ha de superar todas las hombrías que se le pongan por delante. Y no sólo eso, sino que lleva el miedo - del que te he hablado tantas veces- metido en el estómago. Eso es lo que lo zarandea de un sitio para otro.

—¿Y de qué tenía usted miedo, en ese caso?

—Buf, niño, sería para empezar y no acabar —el abuelo hacía grandes gestos de aspaviento—. Pues tenía miedo de mi padre. Entonces los padres eran casi como Dios que, con sólo mirarte, ya te echabas a temblar.

—Es que eran duros y pegaban con la correa, ¿no?

—Unos sí y otros no. Tampoco hacía falta que te dieran una paliza para que uno le tuviera tanto respeto. La palabra del padre era sagrada. También tenía miedo a la oscuridad y a irme a dormir al corralón, con las ovejas, pero como mi padre lo mandaba, esos miedos eran como de menor categoría. Mi fin era no defraudar a la autoridad paterna ¿Qué pasaría si tú tuvieras que hacer otro tanto de lo que yo hacía? Ya sé que tú tampoco eres un muchacho que se tire para atrás, pero a lo mejor no lo hacías ¿Sabes por qué?, porque no tienes detrás al padre que a mí me dominaba y me obligaba a hacer cosas hasta anti-naturales. Lo normal es que, a esa edad, se tengan los miedos propios de un niño. Ponte en el lugar de aquel muchacho que era yo. Con la oscuridad rodeándote por todas partes. Muchas veces, las noches tan oscuras causaban espanto. Me temía que me fueran a venir miles de males de aquella negrura.

—¿Qué males?

—Pues, uno, que me robaran el ganado, cosa que ocurría de tanto en cuanto. Cuando robaron el ganado de unos señores que les decían los Solomillos, nos causó mucha impresión y ensanchó nuestro miedo. Los ladrones no sólo se llevaron a las ovejas, sino que dejaron al pastor medio muerto a palos.

Miedo también a los ruidos extraños que salen de la misma oscuridad. Miedo a que llegara algún diabólico espíritu y te echara mal de ojo, a mí o a los animales. Miedo al silencio que no te anuncia nada bueno. Cuando todos esos miedos juntos se apoderan de tu cuerpo, te entra el baile de San Vito y no puedes distinguir si el tembleque es de frío o de nervios.

—¿A usted nunca se le ocurrió decirle a su padre que lo estaba pasando mal?

—¡Quita de ahí, niño! Uno se aguantaba todos los miedos, con dos cojones, porque se le hubiera caído la cara al suelo de vergüenza si los hubiera confesado. Si acaso, te ponías a llorar o a berrear, si era menester, cuando nadie te observaba. La noche del fuego fue de nubes, truenos y rayos. Estaba metido en mi yacija, sin que el tembleque me dejara estar quieto, apretando los dientes como único medio de aguantar tantos nervios, hasta que se fue alejando la nube. Entonces me quedé tranquilo y pude dormir como un tronco. Caí en uno de esos sueños en los que hace falta unos buenos cañonazos para sacarte de ellos. Y, claro, en el rato de estar en esas profundidades, fue cuando se lió todo. Se conoce que, por una corriente de aire, cayó alguna "chusca" en la paja, que se fue requemando un tiempo hasta que, con el aire de la nube, alzó llama. Eso ocurrió en el cobertizo, al lado de la cuadra, en donde dormíamos los animales y yo mismo. Los perros empezaron a aullar y las ovejas a balar. Armaron tanto jaleo, que al final consiguieron sacarme del sueño. ¡Menos mal!, pero al abrir la puerta de la cuadra, me di cuenta de que las llamas de la gavillera taponaban la entrada. Mi primer impulso fue saltar entre las llamas y salir de la encerrona. En ese momento, ya afuera y a salvo, en medio del corral, me di cuenta del disparate que había cometido, dejando a los animales cercados en aquella ratonera. ¿Cómo se iba a poner mi padre al saber que había perdido todas las cabezas que había puesto bajo mi responsabilidad? ¿Me había tocado a mí la china de ser el hijo maldito, entre todos los hijos de mi padre? Porque los dos mayores ya habían cuidado el ganado y no solamente no le habían causado ni el más mínimo quebranto, sino que lo habían acrecentado considerablemente. Sentí que no iba a poder soportar la mirada de mi padre. Me arrepentí con todas mis fuerzas por haber dejado el farol luciendo y haber causado toda esa catástrofe. Sería porque no me lo tenían advertido mis mayores: "No se puede tener el candil ni el farol encendidos más que lo imprescindible". "No somos millonarios como para gastar aceite sin necesidad". "Para dormir no te hace falta luz". La fuerza de esos posibles reproches me empujaron a volver a saltar sobre esas llamas para poner remedio, en lo que pudiera, a esa desastrosa situación. El panorama que encontré al volver a entrar en la cuadra, me asustó más todavía, en el caso de que mi cuerpo tuviera capacidad para más susto. Los animales, aterrados, se lanzaban contra la puerta, pero se devolvían al verse acorralados por las llamas. Algunos ya estaban por el suelo, no sé si atontados por el humo o por el susto. No tuve mejor ocurrencia que cerrar la puerta de la cuadra, a pique de que nos hubiéramos atufado con el humo todos los seres vivos que quedábamos dentro. Menos mal que me sabía la cuadra al dedillo y pude encontrar un azadón; empecé a cavar en la puerta tapiada que daba a un quiñón, es decir, al aire libre y a la salvación. Mientras tanto, algunos vecinos se dieron cuenta del fuego y vinieron en mi auxilio. Añádele que las campanas se pusieron a tocar rebato. Que, por cierto, a mí no se me ocurrió dar ni un grito pidiendo socorro. Si el hermano Julepe no hubiera salido a mear a su corral, dándose cuenta del fuego, nadie hubiera acudido en mi auxilio.

En fin, que yo pude hacer un agujero por dentro de la cuadra, por donde empezó a entrar el fresco. La gente que venía en mi ayuda se dio cuenta de mi maniobra y, desde fuera, consiguieron despejar totalmente la puerta tapiada. Así logramos sacar a los animales y a mí mismo. Otros vecinos, a base de cubos de agua, lograron apagar el fuego. Al final todo volvió a la calma. Dentro de lo que cabe, las llamas no habían causado tanto destrozo como yo esperaba. Habían ardido varias gavillas, la paja, algunas de las ramas de olivo que teníamos preparadas para los animales. En definitiva, las cosas que se perdieron no tenían valor comparado con el ganado.

—Abuelo, en aquellos instantes, ¿la familia no se había dado cuenta del fuego?

—Ya te digo, no se dieron cuenta, estando al lado. Luego, con el alboroto de la gente y el repique de las campanas, vieron lo que pasaba y se pusieron en movimiento deprisa y corriendo. Al ver que lo principal se había salvado, empecé a serenarme. Claro que, al poco tiempo, me entró de nuevo un miedo de que mi padre se diera cuenta de lo del farol. Menos mal que alguien me dio la solución para salir airoso del trance. "El fuego se ha prendido por una chispa de rayo que ha saltado sobre la gavillera. La nube estaba aquí mismo, encima. Tiene que haber sido el trueno gordo, ése que crujió a media noche". Mi padre se tragó la trola y hasta me pasó la mano por el pelo, dando a entender que aprobaba mi conducta. Sin embargo, cada vez que mi patriarca entraba en el corralón para contabilizar los destrozos causados por el fuego, yo me echaba a temblar. "A ver si va a descubrir lo del farol".

—¿Usted no contó nunca la verdad a nadie?

—Ahora te la estoy contando a ti. En su momento no le di importancia. En principio porque bastante tenía con ocultar mi preocupación y, más tarde, porque me olvidé de un hecho tan desagradable.

—Supongo que de todo esto saldría usted con fama de valiente.

—No creas, niño. Las cosas se veían de otra manera. Casi tomaban el hecho por la parte cómica. "¡Menuda maña se dio el muchacho para hacer un agujero y escaparse de la hoguera!", decían como afirmando que yo había obrado con toda naturalidad; como lo hubiera hecho cualquier ser humano. Además, que cada quien había de hacer una bravata, de vez en cuando, para sacar el pellejo adelante. Si nos pusiéramos a observar las cosas como son, veríamos que ha sido mucha la gente que ha tenido que hacer un esfuerzo sobrehumano, simplemente para sacar un cacho de pan de entre las piedras, para no morirse de hambre, o para buscar una medicina con la que salvara la vida de un hijo o de un hermano.

***

12 / 1 / 2001

Hola, Basi:

Muchas gracias por tus cumplidos. Los acepto en tanto no pasen de ahí, de cortesías. Como tú mismo insinúas, no debes arriesgarte con la misma piedra, una vez más. Creo que, de ambas partes, deberíamos poner todos los medios para que esta amistad, tan tardíamente iniciada y que tanto promete, no se estropee bajo ningún concepto y menos por el abordaje de unos amoríos a destiempo. Te rogaría que colaborases conmigo para borrar ese pequeño incidente -al fin y al cabo, no fue más que eso- por el que nos dejamos arrastrar, en unos instantes de inconsciencia. Casi caímos en la tentación animal del sexo, no nos queda otra que olvidarlo para seguir nuestra simpatía sin sombras. Ya sabes que soy de la teoría de que caer en enamoramientos acabaría con nuestra amistad.

No te oculto –ya te lo he expresado otras veces– que mi experiencia es muy negativa respecto al género masculino. Precisamente, tú me recuerdas a Lucio, mi primer marido, que no dejaba de cortejarme con piropos en nuestros primeros encuentros para, según su mentalidad, manejarme a su antojo una vez conquistada.

Me pides que te hable de las "bajezas" de Sorozábal y yo no me encuentro todavía con fuerzas para hacerlo. Has de darme tiempo para almacenar la suficiente voluntad. No es que desconfíe de ti –ya sabes que hasta ahora te he dado bastantes pruebas de confianza– es que me parece demasiado descarnado mostrarte a aquel hombre, tal como fue, o tal como lo veo yo al menos. Desde luego, si seguimos relacionándonos, alguna vez lo haré.

¿Qué te parece el material que te estoy enviando? ¿Es suficiente? ¿Te gustaría que te enviase más? Tú verás.

***

"Los señores `patriotas´ se reunían en los casinos y se `enfervorecían´ lanzando gritos contra los bandidos rebeldes y contra los yanquis. Vibraban de emoción al oír la Marcha de Cádiz."

"Estados Unidos busca todos los pretextos para intervenir en Cuba. Temen que los rebeldes, o los españoles, ganen la guerra y se queden ellos sin poder sacar tajada."

***

14 / 1 / 2001

Querida Evangelina:

En eso te equivocas. Aunque parezca una persona extroverti-
da, el resultado es que mi vida es fría y solitaria. Por más que
parezca que me relaciono con los compañeros de trabajo, echo
mucho de menos la compañía de alguien al terminar la jornada,
aunque sólo fuera para hablar de naderías. Para decir "tengo un
dolorcillo en el dedo gordo del pie izquierdo", por ejemplo, o
"¿qué tal me sienta esta chaqueta?" Por eso, no sabes lo que te
agradezco poder conversar contigo, bien sea personalmente, a
través del teléfono o a través de internet. Te ruego que me per-
dones si se me desliza alguna superficialidad; si dejo, de vez en
cuando, los temas de altura a un lado y me bajo al suelo, incluso al subterráneo. Pero sigamos con lo que nos incumbe.

Recuerdo que en las clases de Formación del Espíritu
Nacional, don Esteban me daba a entender que Basilio Xantal
era de las personas que tienen los pies clavados en el suelo.
"Hay personas que nunca levantarán los pies del barro -la
mayoría- y otras que se elevan por encima de las posibilidades
que les dan las circunstancias que los rodean". Y eso me dolió.
Se estaba dando en mí la admiración a dos personas contra-
puestas y, en cierto modo, que una de ellas —mi profesor— nin-
guneaba a la otra. Puesto en la tesitura de elegir, mi arroba-
miento se inclinaba por el abuelo y yo trataba de llamar la
atención de mi profesor hacia él. Desde que me alcanza la
memoria, se había establecido una corriente de cariño simpatía entre mi antepasado y yo. Entre nosotros existía un algo
especial y en el momento al que me refiero, nuestros lazos
eran ya muy íntimos. Desde esta edad, tan alejada, analizo su
comportamiento y todavía quedo admirado ¿Cómo una persona que había recibido tan poco de los suyos, me daba a mí

tanto? Porque fue él quien se empeñó en que yo estudiara y me llevó a vivir a su casa para facilitar esa tarea.

Mis padres vivían en un pueblo pequeño, no lejano a nuestra ciudad, donde no había instituto y, por tanto, no se podía preparar el bachiller. Era una situación especial en la que se encontraba la familia. Mi madre era de Los Palacios de Montiel. Mi padre y yo habíamos nacido en Valdepeñas, quiero decir que soy paisano tuyo hasta las cachas. Mi progenitor cuidaba de las tierras del abuelo, por eso mis padres tenían la residencia palaceña. Así es como mi abuelo, viudo, me acogió en su casa. Fue un trato que nos favoreció a los dos. Yo me beneficiaba de los adelantos, sobre todo culturales, de la ciudad (así consideraba yo nuestra villa, en comparación con el pueblo en donde vivían mis padres) y él gozaba de mi compañía, aunque yo también de la suya. Por todo lo que te he hablado de Basilio, puedes creer que estoy pasando por alto a mis padres. No es así. Lo que pasa es que quiero resaltar la personalidad del soldado Xantal, nada más.

Voy recibiendo tu material y lo leo con mucho interés. Te lo sigo agradeciendo. Te adjunto una redacción de 1956, en la que tu hermano Rogelio describía así a vuestro abuelo:

***

Valdepeñas a 16 de Marzo de 1956

Redacción:

La caridad de Rogelio Sorozábal Padilla quedó demostrada en muchísimas ocasiones. Hay multitud de testimonios de la época que pueden dar fe de esa virtud. Como ejemplo, don Esteban, le puedo contar a usted los casos más sonados.

Quizás le resulte a usted un poco aburrido, porque ya los conoce de sobra, como persona culta que es. Aquella vez que salvó a una desgraciada criada de la paliza de su amo en plena calle. Ni siquiera hubiera estado bien dentro de la casa, ¡pero, encima, hacerlo en público! Eso repugna a toda persona honorable. Le cuento a usted, por si no sabe cómo ocurrió. Iba mi abuelo por la calle de la estación, cuando se percató de que un hombre estaba moliendo a palos a una mujer. Lo asombroso era que el agresor era nada menos que don Anastasio, una personalidad respetada en nuestra población. Eso ponía a Sorozábal en un compromiso. Si el agresor hubiera sido un hombre cualquiera, el abuelo no habría tenido ningún escrúpulo de conciencia. Lo habría cogido por las solapas, dado dos sopapos y llamado cobarde, sin más perejil que mondar. Pero, al tratarse de don Anastasio, había otras consideraciones por medio. Por ejemplo, el respeto que se le debe a una personalidad de tal alcurnia ¿A quién se debería tomar en cuenta, al señor respetable o al canalla que demostraba ser en ese momento? Como la consigna del abuelo siempre fue defender al débil, se olvidó de la persona importante que tenía delante, se acercó a él y le propinó una patada en el culo, como hubiera hecho con cualquier rufián. Y don Anastasio se revolvió contra su castigador, se quitó un guante y lo abofeteó con él. Eso significaba, en el lenguaje de los caballeros, un desafío para batirse en duelo a muerte. La sangre no llegó al río porque hubo amigos comunes que maniobraron para que el reto no se llevara a cabo, más que nada, porque el acto era una antigualla. No obstante, mi abuelo salió bien perjudicado de ese trance, porque los Anastasios han sido enemigos declarados de nuestra familia desde entonces y han procurado fastidiarnos en todo lo que han podido. Don Esteban, no se crea usted que no intrigaron todo lo que pudieron para que a mi abuelo no le concedieran las medallas por méritos de guerra. Y les llegó el odio hasta nuestros días, cuando se opusieron, haciendo uso de todas sus influencias, a que se le adjudicara el nombre de Rogelio Sorozábal a la antigua plaza de la República

Por último, le describo a usted el caso de la defensa del viático. Pues nada, que iba don Nicasio, sacerdote de la parroquia de la Asunción, con el viático, a dar los últimos sacramentos a un moribundo que vivía en calle de la Tejera. Como es de suyo, los hombres con los que se encontraba por el camino el Santísimo, se quitaban la gorra o se arrodillaban. Lo hicieron todos menos el descarado de Lobochico, que vio pasar por su lado a Cristo y como si hubiera visto pasar a un mono. El sacrilegio habría pasado desapercibido si no hubiera estado Sorozábal delante. No fue así porque el abuelo, a pesar de ser ya un hombre provecto, se dirigió al canalla y le ordenó arrodillarse. "¿No ves que estás ofendiendo a Dios?" Y como el pecador no obedecía, tuvo que darle con el bastón en las piernas hasta hacérselas doblar. Otro enemigo más que se echó sobre las espaldas. Aunque Lobochico no fuera más que un gentuza, nunca hay enemigo pequeño. Mis padres dicen que, además de los bienes económicos y las grandezas del abuelo, también hemos heredado de él sus enemigos.

***

26 / 1 / 2001

Hola, Basi:
En algunos aspectos, mi existencia es monótona, sobre todo en lo que se refiere a relaciones sociales. Procuro refugiarme en el trabajo para olvidarme de cualquier insatisfacción que me pudiera proporcionar la vida.

¿Qué tal el proyecto que te tenía tan ocupado en tu tarea? A lo mejor te viene bien. Así no piensas tanto en esa soledad que dices que te agobia. Cuando quieras hablar, ya sabes que tienes en mí a una amiga sincera. No tienes sino que descolgar el teléfono.

Voy soltando un poco de lastre en lo que se refiere a la vergüenza de hablar de mi antepasado. Claro que la fama de Rogelio Sorozábal estaba rodeada de hipocresía, propiciada por mi familia, por las autoridades y la clase pudiente valdepeñera en general. Pero creo que de eso no tuvo él la culpa, si acaso, se dejó querer y nada más.

***

"Todo manifestante patriota está obligado, por ética, a dar una peseta para los gastos de guerra. El que no satisfaga esos cuatro reales, que se trague los vivas y que no meta ruido." (LA ÉPOCA).

"Los periódicos de Mallorca se hacen eco de un bando de la Alcaldía en donde se da cuenta de que una gran cantidad de prófugos se han marchado a Francia o a Argel, con tal de no tener que ir a la guerra de Cuba o de Filipinas."

"Los periódicos conservadores habían organizado viajes, en 1896, para observar y destacar las buenas condiciones de la sanidad, según ellos, en los hospitales militares: `Los enfermos están atendidos con cariño. Los hospitales están tan limpios y la alimentación es tan buena que resulta imposible morir en ellos´. Es una contestación a la acusación que hacían los periódicos progresistas sobre la alta mortalidad en los cuarteles españoles y el desastre de la sanidad militar."

***

28 / 1 / 2001

Querida amiga:

Ya he terminado el proyecto sobre corales y dispongo de un poco más de tiempo. Cuando quieras, estoy dispuesto a hacer esa excursión a Valenzuela de Calatrava, a donde me invitas, para observar algunos documentos pertinentes a Espartero. Aunque tus investigaciones sobre el Regente no atañen al periodo que a mí me interesa, siempre es agradable acompañarte en tu apasionante vocación. Es lo menos con lo que puedo corresponder para agradecerte todo lo que estás haciendo por mí.

¿Qué es lo que empujó a mi abuelo hacia el aprendizaje y la sabiduría, como él decía? No lo puedo precisar exactamente. Él creía que sabía mucho porque aprendió las cuatro reglas aritméticas y estudió, durante toda su vida, el libro llamado Enciclopedia Resumida del Saber. Asociaba la ignorancia con la miseria y la desgracia. Seguramente fue eso lo que le empujó a salir del analfabetismo cuanto antes.

***

—¿Y no le hubiera gustado a usted aprender de muchacho? —Claro que me hubiera gustado, pero además de estar atrapado por el trabajo y de no tener tiempo, a ver de dónde iba a sacar el dinero para las lecciones. Entonces no había escuelas de las que no cuestan nada, como las de hoy, tenías que rascarte el bolsillo para aprender. El cura no enseñaba gratis.

—¿Y cuándo quiso aprender?

—Cuando salí de entre las cuatro paredes de mi familia y me di cuenta, en la mili sobre todo, de que todos los que estaban por encima de mí, sabían de letras. Inclusive los que eran pobres. Eso le pasaba al Lumbreras, mi compañero recluta que, estando tan pelado como una rata, como tenía sabiduría, pronto empezó a abrirse camino en esa sociedad y a subir poquito a poco. Nada más llegar, montó una especie de oficina en un rinconcillo, tras la última litera del barracón. Allí acudían, cada día, un montón de reclutas para que les escribiera las cartas. Con eso ganaba sus buenas perrillas. Después destacó más, porque nuestros jefes se fijaron en él y se lo llevaron a las oficinas; luego lo hicieron cabo. Seguro que, con el tiempo, llegó a sargento o más. No sólo este compañero, sino todos los que me daban órdenes, mal que bien, tenían su cultura. Esto me hizo pensar que en la vida civil pasaba lo mismo que en la militar. No es que todos los que me daban órdenes supieran de letras, los había como mi padre, que eran analfabetos, pero los letrados eran los que tenían más ventajas y a los que engañaban menos. Es más, cuando entrabas en la oficina en donde estaban esos privilegiados, te tenías que quitar la boina en señal de respeto. En resumen, que comprendía que acercarse al saber era un buen negocio, por eso me propuse aprender, costara lo que costara.

Ahora que tenía tiempo libre, no lo iba a malgastar, me puse a buscar a quien me pudiera ayudar. No quise arrimarme al Lumbreras porque, a estas alturas, ya se vendía caro y yo no tenía con qué costearle. Pero, como para todo en la vida hace falta tener suerte, yo la tuve al conocer al Juanaco que, si bien no sabía del todo leer, andaba por el buen camino y dominaba muchas letras del abecedario. Y como dice el refrán, en casa del ciego, el tuerto es el rey. Me arrimé a él con tal de que se me pegara lo que sabía. Desde luego, me lo tuve que conquistar haciéndole algún regalillo de tabaco picado o engolosinándolo con los mantecados que me enviaba mi madre, privándome yo del alimento. Hasta algunos chorizos se comió el

tal Juanaco, que le hubieran servido de consuelo a mis perpe-
tuas hambres. El muchacho tenía una cartilla, en donde estaban retratadas todas las letras. Me enseñó cómo se llamaban
las que él conocía y cómo hacían. La m con la a, hace ma. La
t con la e, hace te… Así todas. Yo ahorré y me compré una
cartilla como la de Juanaco. Conseguí pillarlo en su conocimiento y hasta adelantarlo. Total que, en los meses que estuve en Madrid, llegué a deletrear los periódicos, sin enterarme
mucho de lo que decían. Luego vinieron los garabatos, que se
convirtieron en escritura, a base de paciencia. Llegó un día, ya
estando en la isla, en que conseguí escribir la primera carta a
mi familia. En Cuba progresé mucho en lo del conocimiento
de la Aritmética, además de las letras. Y cuando volví de aquel
tormento, tuve más tiempo libre y pude dedicarlo al cultivo de
las ciencias, hasta donde dio de sí mi cabeza. Como ya disponía de dinero, me pude permitir acudir a las lecciones de los
que sabían enseñar. Recibí enseñanzas del Alcantarillas, un
escribiente del Ayuntamiento. A mí no se me cayeron los ani-
llos porque, siendo un hombre hecho y derecho, acudiera a
recibir escuela como un niño. El que algo quiere, algo le cuesta, aunque fuera pagar con la vergüenza de aprender al lado de
muchachos.

—Y esa afición quiso pasarla usted a su familia, ¿no es eso?

—Desde luego, no quise que mis hijos pasaran la juventud
de inopia que pasé yo. Me dije que, como ya tenía para comer
y alimentarlos, no me iba a dedicar a aumentar mi capital a
costa de ellos, como había hecho mi padre conmigo y mis hermanos. El capital era que mis hijos fueran listos. Hasta a tu tía
Mónica quise que le llegara la llama del conocimiento. En eso
tu abuela, aunque analfabeta, estuvo de acuerdo conmigo. La
gente me criticaba que estuviera tirando los dineros, invirtién-
dolos en el lustre de una mujer, pero yo callaba porque sabía

lo que me traía entre manos. A lo mejor tu tía no hacía una mejor boda porque hubiera ido a la escuela, pero si alguna vez tenía hijos, estos no iban a ser analfabetos, como en generaciones anteriores había pasado con mi familia.

—Abuelo, ¿por qué había esa "agonía" en la gente del campo?, ¿por qué había que trabajar tanto y obligar a los hijos a que lo hicieran?

—Ay, niño, desde muy antiguo, eso es querer que no se pierda un mendrugo de pan que llevarse a la boca. Se creía que cuanto más se trabajara, más asegurado se tendría. Y muchas veces ese trabajo era en vano, porque venían los contrarios y nos lo robaban: los caprichos del tiempo, las enfermedades, o los hombres de negocios ¡Menuda se armó en el pueblo cuando el hundimiento del precio del vino! ¿Por qué? Pues porque los labradores, de los que la gente dice que nunca sueñan, en realidad siempre tienen la cabeza puesta en el cuento de la lechera. Contaban, los que se las daban de enteradillos, que el precio del vino se iba a poner como el del oro, porque en Francia una enfermedad muy grave había acabado con las cepas en sólo cuatro días. Por tanto, nos quedábamos sin rival y creímos que el valor del alcohol iba a subir como la espuma. Y todo aquel que poseía un pico de tierra, aunque sólo fuera un celemín, venga a plantar viñas a todo correr, porque con las viñas se iba a hacer millonario. ¡Pues no nos pusimos contentos ni nada, al ver las cepas tan llenas de uvas! Coñis, que creíamos que no nos iban a caber los dineros en el bolsillo. Pero, ca, se puso el vino al precio del agua. Cosas de los mercados internacionales y esas zarandajas que nosotros no entendíamos. Y para acabarlo de arreglar, años después, nos vino a nosotros también el bichejo de las viñas. Fue la puya definitiva para muchas familias. Tantos sudores, tantos sacrificios, tanto vivir con el puño cerrado para que no se escapara ni una perrilla, tanto comer pan y cebolla para luego seguir tan pelados como ratas. Yo siempre he tenido envidia de los que tienen un jornal fijo, porque los que tenían el sueldo fijo dominaban las letras. Casi sentíamos tanto las desgracias del campo o de los animales, como la de las personas. Fíjate en lo que te digo. Y no te creas que es un disparate, era el afán de supervivencia. En las desgracias personales, perder a un ser querido deja disgusto y tristeza, pero luego uno se recupera. En cambio, si nos quedamos en la ruina todos morimos de hambre. De la ruina es muy difícil que te puedas recobrar. Me acuerdo yo de los años del cólera, en los que todo el pueblo estaba aterrorizado, veían venir la ruina sobre ellos.

—Abuelo, ¿cómo podían tener más miedo a ser pobres que a la muerte?

—Bueno, según y cómo. Se le tenía mucho terror a la muerte, no te digo que no, pero a lo mejor, se temía más verse uno tirado por los caminos, pidiendo caridad.

***

28 / 1 / 2001

Estimado Basi:

A mí también me resultó un día agradable el que pasamos en Valenzuela de Calatrava. Te he de agradecer toda esa pasión que muestras en todo lo que afecta a la Historia, aunque no en otros aspectos. Sigo exigiendo de ti moderación.

***

"El nombramiento del general Weyler se acepta con gran satisfacción en los medios conservadores. Hay manifestaciones patrioteras para despedir al general, en el puerto de Barcelona. Su llegada a La Habana es triunfal. Una gran cantidad de barquitos salen a la mar para escoltar el buque en el que viaja el nuevo Capitán General. Hay grandes manifestaciones en la capital cubana al grito de `¡Viva España!´."

***

12 / 2 / 2001

Querida Amiga:

Me encanta que seas mi profesora aunque, por desgracia, tan esporádicamente. Estoy de acuerdo contigo. Dentro del panorama que me pintas en la oficialidad, Rogelio Sorozábal no resultó tan depravado como otros. Aún podríamos decir que esos pequeños hurtos que realizó estaban dentro de la normalidad. Lo grave es que nadie se diera cuenta de que, con cada céntimo que sisaba del escaso presupuesto, estaba haciendo pasar hambre y miserias a los soldaditos.

***

—Perdone que le moleste, señor Piqueras. Es que me gustaría que me hablase de mi abuelo, si es que a usted le viene bien.

—¿Cómo es eso, muchacho?

—Verá, como usted ha sido siempre tan amigo suyo…

—¿Qué quieres que te cuente? ¿Y por qué? -El hermano José, de apodo Piqueras, aun siendo de la edad de mi abuelo, parecía mucho mayor que él. Su cuerpo estaba deformado por las muchas palizas que le había dado el campo. Además, los pantalones de pana, la blusa de faena y la gorra le daban el aspecto de campesino ya desechado. Sentado en el poyete de su puerta, tan gordito, con una gordura asimétrica que destacaba en su barriga, parecía como si toda la vida hubiera permanecido allí, en ese asiento al aire libre, y fuera a permanecer para siempre jamás. En el fondo de sus ojos verdes todavía guardaba, sin embargo, una cierta astucia desconfiada.

—Verá usted, es que necesito una versión de cómo era mi abuelo, pero de fuera de la familia. Sobre todo, de cómo era en aquellos años de la juventud, de antes de irse a la mili. No sé…

—Muchacho, no sé qué te puedo contar ¿Te ha referido tu abuelo aquella aventura de la gitanilla?, ¿no? Es lógico, le da vergüenza contarle a su nieto esas picardías. Pero a ti ya te va saliendo pelusa en la cara y seguro que te fijas en las mocicas. Pues tu abuelo, entonces, quizás fuera un poco mayor que tú ahora. Tan jóvenes, ya andábamos picardeados con las mozas. Algunos días solíamos aproximarnos por los mismos pastos con nuestros ganados. Al encontrarnos, nos poníamos de cháchara con conversaciones de todo tipo, ¡hasta de guarrerías si se terciaba! Nos embalábamos tanto en esas pláticas, que acabábamos llevando a cualquier oveja graciosa bajo un árbol y allí, a la sombrita. ¡Ya me entiendes! Claro que eso, a una persona fina como eres tú, le parecerá una bestialidad, ¡pero cuando la necesidad aprieta! Te digo tal para que veas lo encendidos que andábamos entonces. En esto que vemos acampar, cerca de donde nosotros parábamos, a la vera del río, a una pandilla de gitanos. Ponían ahí su campamento por la abundancia de hierba para sus bestias, agua, y por no estar lejano del pueblo, a donde se acercaban a vender sus canastas, a arreglar paraguas, cacerolas, echar la buena ventura, cosas así.

A primera vista, no le dimos mucha importancia al caso, no

nos fijamos en ellos, hasta que reparamos en una moza, entre la cuadrilla, y fue cuando nos pusimos al acecho. Tenía un cuerpo que, comparado con las artistas que luego se vieron en las pantallas de los cines, sobresalía con mucho. Una cara que ríete tú de la de la Virgen. Los ojos negros eran dos brasas que te quemaban el corazón. ¡Y ese pelo largo, hasta la cintura!, que le caía de su cabeza como en cascada. En fin, una alegría sólo con verla. Cómo sería la cosa que pensábamos quedarnos, de noche y de día, haciendo guardia, sólo por dar recreo a nuestros ojos. Lo que pasa es que eso no podía ser y el temor nos hizo desistir. Había que volver a casa a ordeñar y dejar la leche, para que las mujeres hicieran el queso, o atender a los parroquianos por las casas. No podíamos faltar a nuestros deberes. Claro que, lo que sí podíamos hacer, era volver tarde y salir temprano, al revés que las cabrillas de Juan Serrano. Antes del amanecer, ya estábamos nosotros de vigilantes, tras una loma que había cerca del campamento. Dejábamos los ganados pastando, bajo la custodia de los perros, y nos poníamos en la parte alta, en donde se pudiera guipar a la niña guapa. Mal está decirlo, pero veíamos a todas las gitanas, arremangarse las faldas, cuando iban a hacer sus necesidades y creían que no las miraba nadie. Pero ésas no nos interesaban, aunque también había otras dos mozas de buen ver, lo que nos atraía era la guapa. Nuestras miradas eran como flechas al amanecer, dirigidas a hacer blanco en todos los movimientos de la elegida. No te quiero ni contar cómo nos poníamos cuando la veíamos lavarse en el río, casi desnuda.

Pero los gitanos son muy listos y no sé cómo se dieron cuenta de la maniobra que traíamos entre manos. Sería a la semana o así de nuestro fisgoneo, cuando ya creíamos que habría diversión para todo el verano y nos la prometíamos muy felices, que los gitanos supieron lo que estábamos haciendo y quisieron aprovecharse de la situación. Mientras que nosotros no teníamos más que ojos para la gitana, ellos no los tenían más que para mirar los ricos chotos que se movían en el pasto. Aquel día, si nos hubiésemos descuidado, habríamos tenido un disgusto gordo: que nos robaran unos cabritos. Menos mal que los perros, tanto los míos como los de tu abuelo, eran unas fieras defendiendo al ganado y no había nadie que pudiera acercarse a menos de veinte metros de los animales. Al sentir el alboroto de los canes, volvimos a nuestra misión de pastores y nos encontramos a tres tiarrones con sus navajas abiertas que, por lo que leí en sus ojos, no tenían muy buenas intenciones. Que daba mucho miedo, chaval, te digo la verdad. Ahora que me preguntas lo de valiente, vengo a decirte que a tu abuelo no le ganaba nadie. Yo me eché atrás porque, entre mi vida y la de los animales, prefería guardar mi pellejo. Tengo que reconocer que fue el Golorín el que dio un paso adelante y se enfrentó a los hombres. Claro que la conversación se mantuvo guardando las distancias, porque tu abuelo era valiente, pero no imprudente. Sabía que no podría hacer nada contra tres hombres armados, si estos lograban ponerse a su vera; pero si lograba mantenerse a unos metros de ellos, podría usar el arma en la que era tan diestro, la honda. Antes de hablar con los gitanos, lanzó una piedra contra una urraca y la dejó agonizando en un abrir y cerrar de ojos. "¿Qué hacen ustedes aquí?" "Nada, niño, sólo mirábamos". Se ve que, después de todo, los gitanos eran gentes pacíficas y se retiraron con el rabo entre las piernas, sin haber conseguido su propósito. Por lo visto, no querían la pelea. No te digo yo que, de haber podido, no nos hubieran robado los chotos, pero no tuvieron valor para enfrentarse a la honda del Golorín.

Pero el gustillo de la carne tierna, no se les iba de la boca y ponían en juego todas las imaginaciones de que eran capaces con tal de conseguir sus propósitos: nos tenían atados por la excitación que la guapa nos despertaba. Esa gente era muy astuta y sabía que era mejor usar la inteligencia en beneficio de sus planes.

Un día se nos presentó un chaval de nuestra edad, más o menos. Realizó la maniobra como haciéndose el encontradizo con nosotros. Empezó a hablarnos de su vida y de sus viajes, hasta ganarnos la confianza. De tal manera que llegamos a confesarle que admirábamos a una de las gitanas de su campamento. El muchacho nos descubrió que era su hermana. Pero lo dijo como si no le diera importancia a la cosa, como si no se diera cuenta de lo mucho que la deseábamos. Al tomar el chaval esa actitud, nosotros no nos anduvimos con rodeos y le preguntamos si había la posibilidad de ver a la gitana hermosa de cerca y, como sabíamos que no lo iba a hacer gratis, cuánto nos pedía a cambio. "Eso no es cosa mía", nos contestó. "Tengo que preguntárselo a ella, a ver si quiere colaborar, y también a mis padres". Después de esta conversación, por una parte, nos las prometíamos felices por poder contemplar de cerca tanta hermosura, pero, por otra, temíamos meternos en un lío. "¡A ver si los gitanos se sienten ofendidos y vienen todos en pandilla a darnos una paliza!" "A ver si nos tienden una emboscada y nos ganan a traición". "A ver si, sin darnos cuenta, nos roban todo el ganado". "Nos tenemos que poner en guardia y tomar todas las precauciones que sean necesarias.". "Yo puedo engatusar a mi hermanillo para que nos acompañe y, si ve algo sospechoso, nos avise de corrido". "Y tenemos que pedir prestados dos o tres perros para reforzar la guardia." "No sé si deberíamos dejar correr el asunto e ir a pastar por otros parajes". "¿Ahora te vas a rajar? ¿No te parece que merece la pena correr algún riesgo con tal de gozar del espectáculo más grande del mundo?" Y era verdad, porque mis ojos nunca se han beneficiado de una hermosura tal. Ni cuando fui un par de veces a las revistas, en Madrid, ni cuando me casé y dormí la primera noche con mi mujer. ¡Menuda calentura teníamos liada en el cuerpo Basilio y yo! Como éramos jóvenes e inconscientes, tiramos palante. Por eso esperamos al muchacho, hermano de la guapa, para que nos diera el resultado de si nos dejaba verla o no. Y vino. Y nos hizo una proposición. Lo que pasa es que yo me decía que si no era peor el remedio que la enfermedad. Nos propuso que, si queríamos ver a su hermana de cerca, cuando se lavaba en el río, le teníamos que dar un choto ya granadillo por cabeza. Es decir, le teníamos que dar uno cada cual de nosotros: dos. "Muchacho, ¿cómo quieres que hagamos eso?, ¿no ves que, si perdemos dos chotos, nuestros padres nos van a moler a palos?", objetaba yo ante tu abuelo, porque veía que él estaba dispuesto a todo. "Vosotros veréis. Ese es el trato. Si no lo aceptáis, de acuerdo, pero que no os veamos más rondando por aquí. Mis padres, mis tíos y mis primos dicen que, como se os vea el pelo, vais a salir bien trasquilados. Os rajaremos de arriba abajo. Además que tendréis que pagar algo por lo que ya habéis visto. Por lo menos, cuatro o cinco litros de leche, que nosotros somos muy pobres y muchos, no hemos catado en nuestra vida esa cosa tan rica. Dicen que añadiéndole un poco de azúcar, es esencia divina. Desde que la mamé de mi madre, yo no me acuerdo haberla chupado nunca". Y tu abuelo va y dice, por decir, como si él fuera libre "¿Y qué sacaremos nosotros a cambio de los chotos?" "Ya lo sabéis, verla de cerca". "Bah, eso no nos interesa. Ya la tenemos más vista que a las cabras. Si queréis los chotos, habremos de conseguir algo más". "Para eso, tendréis que esperar a que yo lo consulte. Decidme qué pretendéis y ya veremos si hay trato". "Pues que queremos verla como su madre la trajo al mundo.

Y tan cerca de ella, como te tenemos ahora a ti. Y tocarla un poquito, sólo un poquito". ¡No veas cómo me puse yo con tu abuelo, en cuanto se fue el muchacho!: "¡Pero estás loco! ¿No ves el lío en que nos estás metiendo? ¿Cómo vas a responder después ante tu padre?". "No voy a responder, vamos a responder. En cualquier caso, esto lo hemos empezado los dos y los dos lo vamos a terminar". "Conmigo no cuentes. ¡Menudo es mi padre como para dejarse perder un choto, así como así!". "Peor es el mío y me aguanto. Habrá que aguantar todo lo que nos venga encima. Las cosas que se empiezan se han de acabar; no se pueden dejar a medias. Ya veremos después cómo salimos del atolladero; olvídate de lo que nos va a pasar después y goza de lo que tienes ahora".

Tu abuelo, niño, siempre ha sabido convencer a la gente. Cuando se le metía una cosa en la mollera, no había quien se la sacara. De manera que tuve que pasar por el aro y seguirlo en el capricho. Desde luego que mereció la pena, todavía ahora que soy viejo, cuando me junto con Basilio, nos recordamos de la gitanilla y no sabes lo que nos reímos. Y es que el Golorín siempre ha sido mucho Golorín. Total, que llegamos a un trato con los gitanos e hicimos lo que hicimos. Han pasado tantos años que ahora no puedo distinguir lo que pasó en la realidad y lo que nuestros espejismos le han ido añadiendo durante toda la vida. Fíjate cómo serán las cosas que, cuando nos juntamos Basilio y yo para hablar del asunto, nos ponemos a discutir sobre los detalles de lo que nos pasó con la gitanilla. Es que los recuerdos son muy traicioneros y te cuentan las cosas buenas, olvidándose de las malas. Si hablábamos del asunto, cuando todavía jóvenes, decíamos: "¡Qué cuerpo tenía!" "Qué polvo hubiera tenido si nos hubiera dejado revolcarnos con ella". De más maduros: "¡Qué ojos tan bonicos como luceros!" "¡Qué cara de Virgen!" "¡Qué teticas más redondas!" A estas alturas, de viejos: "¡Qué cuerpecillo tan apañado!" "Quién lo pillara para darte calor en la cama."

—¿Y qué pasó con los padres de ustedes cuando supieron que faltaban los cabritos?

—Pues que tuvimos que echar mano de la invención y de la trola. Pero de las palizas no nos libramos. Dejamos pasar unos días para dar cuenta a nuestros jefes. Cuanto contamos la falta, ya habían desaparecido los gitanos y nadie podía comprobar si lo que decíamos era cierto. Tu abuelo y yo nos habíamos puesto de acuerdo en decir que los calés habrían robado los animales y que "ahora, échales un galgo para dar con su paradero". Con esa mentira, que parecieron tragarse nuestros padres, sólo recibimos un castigo corriente, de los de andar por casa. No quiero ni pensar el que hubiéramos recibido si se enteran de la verdad. El caso es que ha quedado como una gracia entre Basilio y yo, decir: "¿A dónde está el choto?" Y después de tantísimas veces como lo hemos dicho, nos sigue viniendo la risa.

***

22 / 2 / 2001

Estimado Basi:

Me gustaría que nos quedáramos un día más de lo acordado en Valencia. He de aprovechar para hacer unas consultas ¿Te importaría faltar un día más a tu trabajo?

De todas formas, te advierto que durante el viaje no puede pasar nada que no se refiera a nuestra tarea y otras actividades culturales. Lo digo por si te haces alguna ilusión.

***

"Como muchos oficiales se dieron de baja en el Ejército para no ir a las guerras coloniales y algunos periódicos criticaron esa actitud, los oficiales asaltaron las redacciones de los diarios que les eran críticos. También lo hicieron en La Habana, donde un centenar de oficiales asaltaron el RECONCENTRADO y destrozaron la redacción, así como los talleres de impresión."

"Empresas de Antonio López y López, marqués de Comillas: COMPAÑÍA TRANSATLÁNTICA DE TRANSPORTES (de viajeros y mercancías) / BANCO HISPANO COLONIAL / COMPAÑÍA GENERAL DE TABACOS DE FILIPINAS / Como naviero, consigue la exclusiva del transporte de los soldados, en las campañas de África. / Transporte de la correspondencia marina en España, y Cuba, Puerto Rico y Santo Domingo. / Sus negocios se multiplicaron como consecuencia de la Guerra de Los Diez Años, en Cuba. /Se le recomendó el Servicio De Aduanas de Cuba. / Su banco HISPANO COLONIAL, llegó a prestar al Gobierno hasta veinticinco millones de pesetas."

***

25 / 2 / 2001

Querida Evangelina:
Efectivamente, con todo el material que me envías, me voy haciendo una idea de cómo era la España de la Restauración y el ambiente alrededor de las guerras coloniales. En fin, estoy excitadísimo de curiosidad porque ayer recibí un extraño e-mail, que me ha dejado intrigado. No conozco al remitente, pero imagino que se trata de algún pariente mío o de un descendiente de algún compañero de guerra de mi abuelo. Te lo

remito para ver qué opinas. Me pide una entrevista pero, en principio, no he querido acceder. He puesto como pretexto que no tengo tiempo, que, si tiene algo que decirme, me lo comunique por correo electrónico:

Me gustaría ponerme en contacto contigo para hablarte de un tema que te concierne. Tengo mucho que hablarte de Basilio Xantal. Veo, por los artículos aparecidos en la web de Culturalia, que a ti te interesa también mucho ese personaje. Luz.

***

Una vez más, intentando encontrar heroicidades, recurrí al amigo de mi abuelo.

—¿Y usted, señor Piqueras, se salvó de la mili y de la guerra?

—Hombre, parece que lo dices como un reproche.

—No es eso. Es por mera curiosidad.

—Nene, que yo no me chupo el dedo. Que me estás reprendiendo por no hacer lo que hizo tu abuelo. La verdad es que yo tuve un padre más previsor que tu bisabuelo. Y otras circunstancias muy distintas había en mi casa que en la del Golorín. Mi padre, que en la gloria esté, desde que tuve quince años, se preocupó para que no me cayera encima la adversidad del servicio militar. Porque las conflagraciones eran como epidemias que le tocaba padecer a cada generación de mozos. Mi padre sufrió las que llamaban Carlistas, la nuestra fue la de las Colonias. La siguiente, la de África. La siguiente, la Civil. Ya sabes que, en ésta última, me tocó a mí pagar el tributo: un hijo mío. Ya ves, niño, yo también he sufrido en mi sangre las consecuencias de esas plagas. Pero, de la guerra de Cuba sí que me libré porque mi padre le prestó atención al hombre de la alcancía. Ojalá yo hubiera podido hacer otro tanto por mi hijo, pero cuando a éste le tocó, ya no existía eso de la redención. Pues el hombre de la alcancía iba visitando las casas, o más bien se metía en las que sabía que había un zagalote. No pasaba por los hogares muy pobres ni muy ricos, sino a los humildes, en los que supiera que tenían algo pegado al riñón con lo que poder responder a los pagos de cada mes. Llamaba a la puerta cuando sabía que la familia estaba sentada alrededor del fuego o, por lo menos, esperaba a que estuviera el padre, que era el importante. También requería la presencia de la madre, ya te imaginas porqué. Y el hombre, bien vestido y respetable, iba dando razones de porqué era indispensable que nos apuntáramos al aseguro. "Si han estado criando a un hijo, durante tantos años, con tantos gastos, con tantos esfuerzos, con tantos miedos, para que ahora venga el Rey y se haga dueño de él". "Miren cómo tienen ustedes asegurados los candeales o las viñas. ¿Es que los consideran más que a un hijo?" "Si echáis cuentas, es mucho más caro criar a un hijo que una viña. Porque, si un hijo ha llegado a los diecinueve años, es porque se ha librado de muchas enfermedades, muchas más que le pueden atacar a las plantas del campo. Y, ahora que ya tenéis criado al hijo, cuando más os podéis aprovechar de él y sacarle un rendimiento, otro se lo lleva para que le trabaje gratis. Y no se crean que el gobierno se lo va a devolver fuerte y sano. No se lo va a devolver como se lo llevaron, no. ¡Cuando no se quede por ahí!" Y nos sacaba una lista de mozos que habían sufrido desgracias, de uno u otro tipo. Así es que el asegurador no se tenía que matar para convencernos de que nos asegurásemos. Sería un sacrificio durante algunos años, pero teníamos a cambio la tranquilidad de que no iba caer sobre nosotros la ruina. El señor razonable, una vez que había convencido a mi padre, le daba todas las facilidades del mundo. Lo primero una alcancía: "Aquí van echando cada día lo que puedan, ya sea una peseta, unos patacones o un real. Cuando hayan vendido un cordero, pues meten dos pesetas. Cuando hayan cobrado el candeal, un duro. Después de cobrar el vino, otro duro. Y así, cuando llegue la hora de pagar la cuota, ni siquiera se tendrán que rascar el bolsillo; ya tendrán suficiente con lo de la alcancía. En realidad, será como una cosa que no cuesta nada y, sin embargo, van a ver los beneficios que les va a dar." En cambio, el hermano Palancas, padre del Golorín, se reía mucho de mi padre porque decía que el aseguro era un gasto inútil.>>

***

13 / 2 / 2001

Hola, Basi:

Qué curioso. Desde luego, cuando se publica en la web, algunas veces se reciben correos desconcertantes. Hasta suelen enmendarte la plana, aunque creas que nadie puede conocer más sobre el tema que tú. A pesar de ello, yo seguiría la corriente a ese comunicante por si puedes sacar algo en claro. Al final, si es necesario, te aconsejo que accedas a esa entrevista. Tampoco pierdes tanto. Sólo las horas que dediques al asunto.

Eso es lo que necesitaría yo, encontrar a alguien que hubiera estado en contacto directo con Sorozábal, porque conservo tan poco material sobre él que casi siempre me he tenido que basar en conjeturas.

De niña, al igual que toda la familia, guardaba una adoración incondicional por Rogelio Sorozábal, el arquetipo oficial de Valdepeñas. Creía a pie juntillas todas las leyendas, ajenas a la capacidad de un ser humano, que se le atribuían. Empecé a dudar de esas exageraciones ya en mi etapa crítica de la universidad. Entonces, en vez de suponer para mí un orgullo ser su descendiente, era una vergüenza. No veía en él más que fierezas.

***

"La voz del separatismo ha llegado a lo más profundo de nuestro ser, hiriendo hondamente el sentido patrio (…) El Gobierno ha dispuesto el inmediato embarque de miles de hombres (…) Pidamos a Dios que les conceda una feliz arribada a las costas de América." (De un periódico local).

"Es sabida la afición de los pobres por comer castañas en Navidad. Por eso, el gobierno ha enviado varias remesas de castañas a Cuba para que lleguen a todos los soldados y puedan celebrar las fiestas sin que falte el producto." (De LA ÉPOCA).

***

15 / 3 / 2001

Querida amiga:

He recibido más información del comunicante misterioso. Todavía he quedado más sorprendido porque me envía una fotografía de mi abuelo joven, con su uniforme de rayadillo. No está muy clara, pero por los rasgos de su cara parece ser él; la he comparado con otros retratos que guardo del soldado Xantal. Además, el corresponsal me da detalles del físico de mi abuelo que no pueden provenir sino de una persona que lo hubiera conocido muy bien. Además de la estatura (uno sesenta y ocho), color del pelo (castaño claro), nariz (recta y larga), ojos (grandes y azules), me da otros pormenores que sólo una persona que hubiera estado próxima a él podría darme. Por ejemplo, la mancha de color marrón oscuro, en forma redonda, de la espalda, tocando la cintura; la cicatriz en la pierna derecha, secuela de una herida de guerra; el segundo dedo de los pies, más largo que el gordo (pie griego). Te aseguro que ha avivado en mí la curiosidad. Ahora soy yo el que desea la entrevista con muchas ganas.

***

—Abuelo, ¿qué es lo que sentía usted aquellos días en los que iba a entrar en quintas?, ¿tenía usted miedo de que se lo llevaran a la guerra? O, por el contrario, ¿estaba deseando salir de la vida rutinaria para ir a demostrar su valor?

—¡Quita de ahí, niño, que tienes muchos pájaros en la cabeza! ¡Qué valor, ni qué nada! En todas las casas donde había varones en edad del servicio, las navidades eran un sinvivir. Era ponerse de los nervios, no sabías lo que te tenía destinada la fatalidad a partir del comienzo del año. Y como la gente estaba acostumbrada a sufrir los vapuleos de las desdichas, agachaba la cabeza y tomaba este asunto como una tribulación más. O te liabas la manta y pensabas que Dios proveería y, si estaba en sus manos, a lo mejor te sacaba del atolladero, sin haberte ahorrado pasar las mil y una peripecias, desde luego. Niño, que la alegría no puede durar mucho en la casa del pobre; recuerdo que en aquel período estábamos disfrutando de cierta tranquilidad en la familia y hasta eso nos inquietaba. "Tenemos que estar preparados para la desdicha, porque hace tiempo que no nos visita", decíamos. Y la dolorosa dama no se descuidó en darse una vuelta por casa.

—Y esa satisfacción que tenían, ¿por qué era?

—Ea, porque habíamos prosperado algo. Ya éramos cuatro hombres adultos en la casa. Ya eran ocho brazos para trabajar. Considera hasta qué punto nos sentíamos boyantes que casi habíamos retirado a mi padre del trabajo. Nos podíamos permitir el lujo de que mi padre sólo diera una vuelta por los picos de tierras que teníamos, a ver cómo adelantaban, o a ocuparse en alguna faenilla de poca monta. Mis hermanos mayores estaban colocados de aparceros en un cortijo grande, yo arreglaba nuestras tierras y mi Miguelete llevaba el ganado. Entre unos ingresos y otros, no marchábamos mal del todo. Hasta gozábamos de cierto renombre en el barrio con el negocio del ganado. Por las mañanas, mi hermano iba con sus cabras por las casas de los compradores y ordeñaba al animal en las mismas puertas, en el puchero o en la lechera. Mi madre y mis hermanas hacían el queso de oveja y la gente venía a la casa a mercarlo. También venían las mujeres a comprar el suero. Era un constante entrar y salir de gente. En fin, que esos años no estábamos pasando hambre, no. Hasta nos atrevimos a construir nuestra propia bodeguilla y toda la pesca. Ya nos las dábamos de importantes y pude estrenar un traje para las fiestas de la Virgen. ¡Una vestimenta hecha por el sastre, no vayas a creer! La aspiración de toda familia que se preciara era que los varones, una vez llegados a adultos, pudieran tener un atavío que ponerse en contadas ocasiones en la vida, además que valiera, tanto para la boda como para la mortaja.

—Abuelo, ¿qué es eso de la suerte de sus hermanos?

—Bueno, en principio, a mí me pareció buena estrella porque, gracias a estar colocados en el cortijo, se libraron, no sólo de hacer la mili, sino de cruzar el charco e ir a la guerra como yo. Luego tampoco fue tanta ganga, porque gran parte de sus vidas las pasaron amarrados al cortijo y casi en la miseria, en definitiva. Tu bisabuelo creyó que con ese descubrimiento había cogido el sino por la mano. "¿Veis? Parece que zanganeando uno no adelanta nada, pero me estoy dando cuenta de que los zascandiles son los que más prosperan". Y nos contó lo de esa ley que permitía librar del servicio a los mozos, sin necesidad de pagar el "aseguro" ni la redención. "Y encima, trayendo un jornal a casa". Porque él se había enterado de boca de los que hacían corrillos en la Plaza. Y no como murmullo, sino que el mismo había ido al Ayuntamiento y le habían asesorado sobre ese reglamento. "Ahora que sé lo de esa ley, pienso ir a ver a don Remigio, que me debe muchos favores con lo del voto y esas cosas. No se puede negar a dar colocación en su cortijo a dos de mis hijos, los que están a punto de entrar en quintas. Cuando Basilio y Miguelete lleguen a la edad, ya veremos lo que hacemos".

Con la suerte nunca se sabe. En los días en que me tocó ir a esas tierras tan lejanas, yo envidiaba a mis hermanos con toda el alma. Me sublevaba que a ellos los hubiera podido salvar mi padre y a mí me sacrificara. Desde luego, cuando vivía en el pueblo, estaba en la inopia. Como no sabíamos leer, no nos enterábamos de lo que pasaba por las alturas de Madrid. No nos poníamos al corriente de políticas ni de guerras. Lo único que guardábamos dentro del zurrón de nuestros temores era que, si teníamos la mala fortuna de que nos tocara ser quintos, alguna guerra nos pillaría. Aunque no sabíamos de qué iba eso de la guerra, pues los combates nos pillaban a trasmano. Tampoco nos entraba en la cabeza que fuera para derramar tanta sangre por si habían de poner a un rey u otro en el trono de Madrid. Nosotros íbamos a lo nuestro, a mirar cada mañana al cielo, no para rezar, como hacían los señoritos, sino para ver por dónde iba el tiempo. En época de mi padre estaban las guerras esas, carlistas que le decían, por si estaba en el trono un hombre o una mujer. Menuda liaron.

Los muchachos de entonces sólo teníamos noticias de las consecuencias de esa conflagración. Que si a fulanito le faltaba un brazo, que si menganito estaba lisiado, que si el de más allá llevaba una pierna de palo. Se veía constantemente a los desgraciados por las luchas, venían a pedir caridad por nuestras casas. Ir a la guerra era como comprar muchas papeletas para que te tocara el infortunio.

—Pero, ¿no tenían noticias de las batallas en Filipinas, Cuba y Puerto Rico? En ese momento, debía ser el centro de las conversaciones en todos los hogares.

—Ahora, después de tantos años, no te lo puedo precisar. No te digo que no hubiéramos sentido rumores de las guerras coloniales, pero no sabíamos en qué consistían. Guerras del Francés. Guerras Carlistas. Guerras Coloniales. No sabíamos en qué se parecían ni en qué se diferenciaban.

**

25 / 3 / 2001

Hola Basi:
Si no te importa, me gustaría que me mantuvieras informada sobre ese corresponsal, porque a mí también ha logrado intrigarme. Haz el favor de comunicármelo, en cuanto sepas algo del tema.

**

"La comisión recaudatoria de ayuda a nuestros soldados en las guerras coloniales, ha organizado diversos festejos, a cual más llamativo, con el fin de recaudar fondos para nuestros

combatientes, que tanto lo necesitan. A la cena de gala coo-
presidida por su eminencia reverendísima, el señor Obispo y
por el señor Gobernador Civil, acudió la flor y nata de nuestra ciudad. Se sirvió el siguiente menú: jamón, fiambres,
mariscos, consomé Moniere al jerez, ostras a la marinera,
espárragos en salsa blanca, merluza a la vasca, rabo de toro a
la jerezana, natillas y diferentes helados. Se han recaudado dos
mil pesetas para la causa." (De un periódico de provincias).

***

30 / 3 / 2001

Querida Evangelina:
Mi gozo en un pozo. Acudí a la cita que había concertado
con mi corresponsal y resultó un chasco, porque él no se presentó. Lo estuve esperando hasta dos horas después de la
acordada y nada. Como comprenderás, ha sido para mí una
gran decepción. Menos mal que mi frustración se atenuó con
las disculpas que ese tal Luz me pide a través del correo electrónico. Me asegura que no pudo acudir a mi encuentro porque le surgió un compromiso de trabajo a última hora y no
tuvo tiempo de avisarme. Que ya me avisará en cuanto dis-
ponga de tiempo y que la próxima vez no fallará. No obstante, sigue a mi disposición para enviarme todo aquella información que le pida de Basilio Xantal.

***

—No, niño, los que marchaban, iban a regañadientes. No te
creas que ramaleaban bien. Había gente que le echaba huevos

a la cosa y se negaba a obedecer a sus superiores. Para eso era para lo que había que tener valor: para desobedecer al jefe, al padre, al señor o al que estuviera por encima de ti. Te puedo decir eso porque casi me veo envuelto en un lío, una vez que nos mandaron recoger reclutas por la parte de la Rioja. La expedición la encabezaba un teniente. Luego, había grupos de tres o cuatro hombres, dirigidos por un sargento. Iba un grupo por cada vagón. Los reclutas nos estaban esperando en las estaciones de tren. Habían sido conducidos por la Guardia Civil. Nosotros los incorporábamos a la expedición y otra vez se ponía en marcha la máquina. Todo marchaba sobre ruedas, hasta que un muchachote, de los que habíamos recogido, con pinta de exaltado, empezó a gritarles a los demás reclutas que no se dejaran conducir al matadero y que volvieran a sus casas. Los soldados veteranos, encargados de conducirlos, nos quedamos viendo visiones y hasta al propio teniente se le puso la cara pálida. Vaya papeleta que se le presentaba, porque en aquel tiempo no se tenían noticias de que hubiera pasado una cosa igual. En el caso de que te hablo, no hubo lío, detuvieron al alborotador y se lo llevó la Guardia Civil. Luego, sí. Hasta en nuestra propia ciudad, apareció gente de ésa a la que llamaban desertores y que tampoco es que lo pasaran bien. Echándole valor se libraron de sufrir el tormento lejos de sus tierras, pues si tuvieron que sufrir, fue cerca de sus casas.

—¿Qué quiere usted decir?

—Pregúntale a la familia de los Sebas, a ver cómo le fue al tío prófugo que, con razón, se quedó para toda la vida con ese mote. Hubo otros, al menos dos o tres, pero te hablo de este porque lo conocía mejor. Me había cruzado con él varias veces en el campo y habíamos echado juntos algunas parrafadas. Desde luego, era buena persona y siempre que podía te hacía un favor. Es más, recuerdo que un día compartió conmigo el ato porque a mi madre se le había olvidado meterlo en el macuto y el Sebas no consintió, de ninguna manera, que yo me quedara sin comer. No se puede decir de él que fuera interesado. Lo que nadie podía adivinar es que fuera a tener valor para desafiar a las autoridades. Por lo pronto, la Guardia Civil no paraba de ir a la casa de sus padres para registrarla. Trataban a esa familia como malhechores. ¡Venga a inspeccionar la casa! Y como no encontraban al Sebas, preguntaban, de malos modos, a todos los familiares, a ver si alguno se iba de la lengua y daban con su paradero. Y no se quedaron en la familia de aquí, también se metieron con otros parientes que tenían en Tomelloso, Madrid y Ávila, por si alguno de ellos le daba cobijo.

Muchas fueron las personas que padecieron con el asunto de la deserción, aunque la autoridad no sacase nada en claro. A ver quien le quita a esa gente los malos ratos y el miedo que pasaron. En fin, todo fuera porque el Prófugo consiguió lo que quería y la gente no volvió a verlo hasta bien entrado nuestro siglo; cuando ya había pasado el peligro de que lo pillaran. En cambio, peor le fue al Torete que, después de pasarse cuatro años metido en un agujero, lo atrapó la autoridad, lo mandaron a África, a un batallón de castigo, y nunca más se volvió a saber de él. Lo que te digo, niño, que se ha de ser muy hombre para desafiar a la autoridad. A la Justicia le tengo más miedo que a ninguna otra cosa, más que a las calenturas malas, más que al cólico miserere, más que al pedrisco y, si te descuidas, más que a la muerte. No pongas esa cara de asombro, porque era así. Si no hubiéramos tenido tanto miedo a los de arriba, no nos hubiéramos dejado conducir a esas guerras, como decía aquel encendido que daba gritos en la expedición de recogida de reclutas. Pues bien, el Sebas fue capaz de dominar su miedo, durante más de doce años, ¡que se dice pronto! Día a día, hora a hora, minuto a minuto, tragándose el sapo del acojonamiento, a veces más amagado y otras más a flor de piel. No veas cómo se pondría cuando divisaba los tricornios de los Guardias Civiles, aunque fuese a un kilómetro de distancia. Por muy listo que fuera y por más que supiera desaparecer entre las piedras, uno no puede estar nunca seguro de si lo van a descubrir o no. Ya ves lo unida que estaba la familia del Prófugo, que nunca se chivó de donde se escondía éste. Resistieron con él tanto mal y tanta ruina. Ese mal no consistía en que los persiguieran las autoridades, sino que, además de que el Sebas no pudiera trabajar y hacer una aportación a su padre, es que lo tenía que mantener de balde.

—¿Y dónde se escondió para que no lo descubrieran?

—Por lo visto, la primera vez se metió en el agujero que había hecho en la pared de una noria, por la parte que ya toca a la sierra. En el campo, un hombre hábil puede alimentarse con trampas para cazar, plantas silvestres y robando alguna cosilla de los cultivos. Lo que pasa es que, como no podía hacer fuego porque eso habría denunciado su presencia, tenía que conchabarse con alguien de la familia que le guisara los comestibles. En fin, ya ves que todos los de alrededor se tuvieron que sacrificar. Franqueados unos meses, se hizo pasar por lisiado de guerra y así se iba arrastrando, de pueblo en pueblo, pidiendo la caridad de las buenas gentes: "Una limosnita, por el amor de Dios, para este pobre cojo que lo desgració la guerra en Filipinas". Y así, con suerte, pasaron tantos años sin que nadie lo descubriera.

—¿Y nunca se topó con ningún guardia que le pidiera pruebas de su identidad?

—Creo que no. Pero yo no estoy al tanto de los detalles. Entonces se les tenía cierto respeto a los tullidos de guerra y nadie se atrevía a molestarlos. Creo que Sebas incluso se juntó una temporada con un imposibilitado de verdad, hasta aprender sus modos y palabras. En conclusión, niño, para su familia resultó mucho más gravoso que si el Sebas hubiera ido a la guerra. Más gravoso inclusive que si lo hubieran matado porque, en ese caso, no hubieran tenido que alimentarlo durante tanto tiempo, sin sacarle provecho. Es más, cuando el prófugo volvió a casa, el hábito de no trabajar había hecho de él un vago y nunca más en su vida volvió a doblar el espinazo.

***

10 / 4 / 2001

Hola, Basi:

No sabes cuánto siento tu decepción. Consuélate pensando que hay mucho bromista e informal por internet. Al menos, te queda el consuelo de no haber perdido el contacto con ese comunicante.

La anécdota por la que mi abuelo obliga, con métodos cuarteleros, a un viandante a arrodillarse ante el viático, la que mi hermano expresó en una redacción escolar, muestra cómo era el carácter de Sorozábal. Quería imponer su punto de vista a toda costa, tanto dentro como fuera de casa.

***

"Del parte de Weyler: 1) Todos los habitantes en los campos, o fuera de la línea de fortificación de los poblados, se reconcentrarán, en el término de ocho días, en los poblados ocupados por tropas. 2) Será considerado rebelde y juzgado como tal, todo individuo que, transcurrido ese plazo, se encuentre en despoblado. 3) Queda prohibido, en absoluto, la extracción de víveres de los poblados y la conducción de los mismos de uno a otro lugar, por tierra, o por mar, sin permiso de la autoridad militar. A los infractores se les juzgará y penará como auxiliares de los rebeldes. 4) Los dueños de reses deberán conducirlas a los pueblos o sus inmediaciones para lo cual se les dará protección conveniente."

"La mortalidad ha alcanzado en los centros de reconcentración durante estos últimos meses la cifra del 60% de la población concentrada." (Del cónsul francés en La Habana).

***

12 / 4 / 2001

Hola, Evangelina:

Gracias por tu consuelo. Efectivamente, sigo recibiendo información de ese comunicante. Me habla del carácter alegre, pese a las circunstancias que le rodeaban, de mi abuelo y de su generosidad, "aunque no siempre practicada". No sé qué querrá decir con esa misteriosa frase. Por favor, lee lo que aquí te adjunto:

***

Valdepeñas, 8 de abril de 1956

Redacción:

Dentro de la modestia que se le pueda atribuir a mi abuelo, también él contribuyó al mantenimiento de la leyenda gloriosa del Ejército Español. Ya le he contado como Basilio dejó su labranza, dejó la protección de su familia, para servir en la milicia, dispuesto a ir a donde sus mandos lo quisieran enviar. Podía haberse librado de ser quinto, como hacían algunos egoístas, incluso jóvenes de su propio barrio, pero no lo hizo. Estaba deseoso de enfrentarse a los enemigos de España con todas las fuerzas que Dios le había dado.

La noche en que se repartieron los quintos, los soldados estaban formados en el gran patio del cuartel. Los sargentos habían dado la novedad a los tenientes, éstos a los capitanes. Algunos hombres, cobardes, porque en todos los rebaños hay ovejas negras, temblaban de miedo, por si les tocaba a ellos. El sargento mayor empezó a contar por el soldado que más le llamó la atención. Podía empezar por donde le diera la gana y él se fijó por el más alto, marcial y rubio. Uno, dos, tres, cuatro…Fuera el quinto. Uno, dos, tres, cuatro… Fuera el quinto. Cuando empezaba a contar en la fila en que estaba mi abuelo, éste notó que su pulso se aceleraba fuertemente. Ya hemos dejado demostrado con amplitud la valentía del soldado Xantal a la par que su cachaza, pero ¿quién no se iba a emocionar pensando que podía cambiar totalmente su suerte? Que, si la fortuna lo favorecía, podía correr mil aventuras, hacer grandes viajes, descubrir nuevas tierras nunca soñadas que el servicio a la Patria ponía a su alcance. El sargento seguía con sus cuentas, sacando quintos fuera; los afortunados iban a viajar a Cuba o a Puerto Rico. Basilio no se daba cuenta de que a él no le iba a tocar, porque no podía salir de su postura marcial para mirar a un lado y a otro. Cuando el mando lo tocó con la mano y lo nombró el número tres, a Basilio se le cayó el cielo encima; tuvo una de las desilusiones más grandes de su vida, fue un jarro de agua fría para el soldado ansioso de demostrar su valor.

El día en que esos soldados favorecidos por la suerte se marcharon a Valencia para embarcar, quiso Basilio ir a despedirlos, aunque lo corroyera la envidia. Por unos momentos soñó que era uno de ellos y se excitó sobremanera, sobre todo al oír un pasodoble que entonces se estilaba mucho La marcha de Cádiz. Confundido entre la multitud, lanzó vivas a España y al Ejército, sin poder contener las lágrimas. Fue un pobre consuelo que, pasada la emoción del momento, se esfumó; volvió la tristeza por tener que continuar inactivo en el cuartel.

***

—No te creas, niño, que hasta de lo malo cuesta salir. Te lo digo yo que me he encontrado varias veces en situaciones de mucho sufrimiento y, cuando he mejorado, he padecido para adaptarme a la nueva situación. Entonces era mozo, con más fuerza que un toro, y no me importaba tanto, como a ti te puede parecer, la vida sacrificada del campo. A lo mejor te parece de risa, pero los primeros días de vivir en el cuartel, echaba de menos esos palizones de estar andando tras el arado de sol a sol, las noches durmiendo entre las mulas, interrumpido el sueño dos veces para rellenar el pesebre, los madrugones para uncir a los animales al carro y salir para el tajo. Pensarás que, en esos primeros días cuarteleros, en los que poco se trabajaba, debiera estar gozando. No era así. Al cuerpo le costaba aprender a haraganear. Lo mismo que, unos días más tarde, le costó hacerse al trabajo que nos mandaban en la compañía. Que, bien mirado, a ver qué labor era esa comparada con la de mi oficio. Si nos daban caminatas de varias leguas, qué me iba a importar a mí, acostumbrado a andar durante todo el día. Lo de la instrucción sería como un juego, si te sentías capaz de aprender las reglas. Si nos hacían cargar con macutos, era poco molesto para mí, acostumbrado a cargar con costales de candeal. Nada, cosas de poca monta. Pero, ya te digo, no me encontraba a gusto. Lo que no me entraba ni a tiros era el rancho. No es que yo fuera fino y estuviera acostumbrado a las delicadezas de los señores, pero es que esa comida era intragable. Si la comías, lo poco que te daban, era para no caer desmayado. Además, con los paquetes que me enviaba mi madre, me iba reponiendo unos días, pero cuando se acababa el envío, ya estaba lampando de hambre. Había dos cosas que nos hacían aborrecer la pitanza: que siempre estaba llena de tierra, por lo que rechinaba entre los dientes, y que sabía a rayos. Desde luego, comparado con lo que luego tuve que soportar, era casi la gloria. El caso es que nunca sabes cuando va a llegar lo peor. Lo de dormir en petate no fue para mí ninguna novedad, lo que sí me resultaba estomagante era dormir junto a tantas personas, con ese olorcillo a humanidad que sueltan. Fíjate lo que son las cosas, que me costó mucho cambiar el tufo de los animales por el de los hombres ¿Sabes de lo que me acordaba en esos primeros días de pasar hambre? Pues de un convite que nos dieron en la casa de un señor muy importante de Madrid. Cogió a veinte soldados, nos llevó a su residencia y allí nos dio jamón, chorizos, morcillas y otras cosas buenas hasta hartarnos. Creía que llenándonos el estómago se nos iba a olvidar el amargor de alma que nos agobiaba.

—¿Por qué, abuelo?

—Cuando ya me había aclimatado a la vida del cuartel y la había hecho mía, cuando ya hacía planes de un futuro soportable, van y me dicen que me tenía que ir a la guerra de Cuba. Era como si me hubiera caído un rayo encima. Mucho peor que si, de primeras, me hubiera tocado un número bajo en el sorteo de quintos, ¡dónde va a parar! Tú no sabes lo que es creer que te has librado del mal y éste viene y te ataca por la espalda. Y no es que me hubiera librado de la desgracia una vez, sino dos, porque del quinto también me había librado.

—¿Qué es eso?

—Pues el sorteo ese que se hacía en el cuartel. Verás, van y nos lo anuncian una semana antes: "Se va a celebrar el sorteo del quinto para ver a los que le toca ir a la guerra". Nunca nos daban buenas noticias cuando nos hacían formar por la noche y leían el parte. Para ponernos con los nervios como un flan por ver a los que les caía la china encima ¡Menudos días nos tocó pasar! Aún los tengo presentes.

***

18 / 4 / 2001

Hola, Basi:

Me alegro de que ya se te haya pasado el disgusto. Al menos, te puedes seguir comunicando con ese ente misterioso que te suministra información de las andanzas del soldado Xantal en Cuba.

Ten en cuenta que la Guerra de Cuba fue una especie de guerra civil. Además de que algunos sublevados eran de ascendencia española o tenían algo que ver con España. Muchos canarios, por ejemplo, aparte de soldados de otras regiones, lucharon del lado del Ejército rebelde.

***

"Presidida por el Excmo Señor Gobernador, se celebró el domingo pasado la corrida de beneficencia con objeto de recaudar fondos destinados a nuestros soldados que luchan en

Cuba. Los diestros Lagartijo y Guerrita, que actuaron casi des-
interesadamente, realizaron faenas magistrales, consiguiendo
entusiasmar al público. A petición de éste, se les concedió a
ambos diestros las dos orejas y el rabo (los dos consiguieron el
mismo trofeo). Lo dos maestros fueron sacados a hombros de
la plaza. Según fuentes de la organización, hubo un beneficio
de seis mil reales, que serán destinados a mejorar la situación
de nuestros combatientes." (De un periódico de provincias).

***

22 / 4 / 2001

Querida amiga:

A veces, pienso que ese corresponsal me está tomando el
pelo, porque me habla de hechos sorprendentes que nunca
había oído contar a mi abuelo. Por ejemplo, me dice que
Basilio Xantal se había casado y había tenido descendencia en
Cuba. Eso me sorprende tanto, que casi estoy por inclinarme
a pensar que ese tal Luz se burla de mí ¡Se habrá visto disparate mayor!

***

Valdepeñas 28 de mayo de 1956

Redacción:

El Golorín siempre fue un patriota. Siempre estuvo en la
vanguardia. Siempre procuró que los otros mozos cumplieran
con su deber. Una vez puso en peligro su vida con tal de sofocar un motín que ocurrió en el tren. Mi abuelo formaba parte

de un expedición que iba a recoger reclutas por diversas partes de España. Como los futuros soldados eran ignorantes y pobres, se dejaban calentar la cabeza por el primer masón que les quería tergiversar las cosas. Hubo un rojo de esos que empezó a engañar a los mozos, alentándoles a quedarse en casa y no ir a la guerra, porque los podían matar y, a cambio, no iban a recibir ninguna recompensa. De manera que los jóvenes se soliviantaron y se negaron a obedecer a la autoridad que, en este caso, estaba representada por mi abuelo y todos los jefes a los que acompañaba. Aquellos hombres envalentonados se apoderaron del tren y encerraron a los mandos de la expedición, desde el capitán jefe, hasta el último soldado. Los metieron en un estrecho apartamento, en donde a duras penas cabían de pie. Menos mal que al Golorín no lo encerraron y pudo darle la vuelta a la situación. Resulta que, cuando se produjo la rebelión, mi abuelo, con el permiso de sus superiores, se había ausentado para ir a hacer sus necesidades. Como quiera que las letrinas de la estación estuvieran ocupadas, buscó un campo cercano y allí, tras unas cañas, evacuó su vientre. Por eso él no fue hecho prisionero. Al volver al tren, con un golpe de vista, se dio cuenta de lo que estaba ocurriendo ¿Qué podía hacer entonces? Pues entró con disimulo a los vestuarios del personal de los ferrocarriles, se quitó su uniforme y lo cambió por el mono de un operario. Así se metió en un vagón, haciendo creer que estaba a favor de los sublevados. Los amotinados habían trazado casi un plan perfecto. Como eran dueños del tren y poseían de rehenes a los guardianes, pensaban llegar a Francia en donde, fuera de la jurisdicción española, no podrían hacer carrera de ellos. Tenga usted en cuenta, don Esteban, que ya nada se oponía a sus planes. Tenían el vehículo; tenían al maquinista, al que amenazaban con las armas de fuego; tenían a las autoridades secuestradas como garantía de que nadie se atrevería a atacar al tren. Nada les impedía escapar. En este caso, si no hubiera sido por la valentía, ingenio y decisión del soldado Xantal, los amotinados hubieran triunfado. Basilio aprovechó la oscuridad de la noche y que los rebeldes habían bajado la guardia para liberar a los encerrados. Una vez libres, intentaron recuperar las armas mediante una acción arriesgada y lo consiguieron. La próxima vez le explicaré cómo lo hicieron.

***

25 / 4 / 2001

¿Qué tal, Basi?:

Sigues sorprendiéndome con las noticias que me das. No sé qué decirte. No obstante, tampoco es tan extraño lo que te cuenta ese misterioso corresponsal. Has de admitir que está muy bien informado sobre tu abuelo y puede ser que ese dato de su matrimonio cubano sea verdad. Por otra parte, pude ocurrir que quiera intrigarte tanto con fines espurios. Ve con cuidado, por si acaso.

Vuelvo a repetirte que mi deseo sería encontrar a una persona que me diera pistas de mi abuelo, como te pasa a ti. Resulta difícil averiguar cómo ha sido en realidad el comportamiento de una persona, cuando los que están a su alrededor, su familia, están totalmente manipulados. Me refiero a mis padres y a mi tío. Los trapos sucios son deducciones mías, porque nadie de los parientes me habló nunca abiertamente del despotismo de Rogelio o de que tratara "manu militari" a los que tenía alrededor. Deduzco de algunas contradicciones de mi madre que, en realidad, no estaba muy a gusto con su padre, por mucho que lo pusiera por las nubes: "Hija mía, no sé de qué te quejas ¡Ya hubieras visto en el caso de tener un padre como el mío! Un día que llegué cinco minutos tarde a la mesa, porque una monja me entretuvo en el colegio, me castigó encerrándome en mi habitación a pan y agua, durante tres días. Es que era muy severo tu abuelo. Era una bellísima persona, pero recto".

***

"Algunos obispos españoles convirtieron la guerra de Cuba en una guerra santa. Hicieron colectas en pro de la causa y llegaron a proporcionar batallones de voluntarios. Repartían bendiciones a las tropas españolas, promovían novenas y pronunciaban discursos patrióticos en los que se satanizaba a los independentistas cubanos, de los que se decía que eran enemigos de Dios. Decía el Obispo de Santiago de Cuba:`El Diablo reina en Cuba a sus anchas. Los insurrectos han quemado dieciocho iglesias y alimentan un odio satánico contra la Religión´."

"No queremos Cuba, sino aliviar la miseria de la población que nos resulta insoportable. Deseamos la revocación inmediata de la orden sobre reconcentrados y que la gente pueda volver a sus poblados." (Comunicado del Gobierno Norteamericano).

***

30 / 4 / 2001

Hola,

¿Qué tal has pasado el día?

Según ese comunicante, mi abuelo no sólo se casó en Cuba, sino que tuvo un hijo. No me queda más remedio que entrevistarme con esa persona y sonsacarle todo lo que pueda al respecto. Le he rogado que me conceda una entrevista, que yo me adaptaré a su horario, aunque sean las tres de la madrugada.

Tienes razón cuando me hablas de mi temperamento apasionado respecto a las mujeres. No creas que eso no es una traba para mí. Ya te he contado los múltiples tortazos que me he llevado en la vida por culpa de mi forma de ser. Sin embargo, ya sabes que tú eres un caso aparte. Quisiera que nuestra relación estuviera por encima de la atracción existente entre los dos sexos contrarios.

**

—Abuelo, no entiendo cómo, si a usted no le había tocado ir a la guerra, en ninguno de los sorteos a los que se sometió, se lo llevaron luego.

—Ya ves, injusticias que se cometían entonces. En la sociedad, yo era como un cero a la izquierda, una pelota a disposición de cualquier pie. Creo que la culpa la tuvo mi padre. Él que se creía tan listo porque había liberado a mis hermanos del servicio. Durante un tiempo tuve esa dolorosa espina clavada en el pecho, por eso pensé quedarme en Cuba para siempre y no volver a ver a ese hombre que, según mi punto de vista, me había vendido. Luego, en las largas noches en vela, en la manigua, me dio por añorar a la familia, ver las cosas de otra manera y, poco a poco, ir justificando a mi padre. A lo mejor él no era tan culpable como yo pretendía. A lo mejor se había tenido que someter a los que estaban por encima de su persona, en contra de su voluntad. Indagaba su comportamiento conmigo y, según mi estado de ánimo, unas veces creía que nunca me había estimado y, otras, creía que sí, que algo sentía por mí. La última imagen que me quedó de él fueron las lágrimas que le vinieron a los ojos, en el momento de despedirme. Eso demostraba que me apreciaba, ¿no te parece?

—Abuelo, ¿y cómo es eso? ¿Usted no podía sentir si su padre lo quería o no?

—Eso no era fácil. O no era tan fácil en aquellos tiempos. Mi padre, y todos los padres que yo conocía, se relacionaban con los hijos a través de la autoridad: "Niño, haz esto sin rechistar". "Niño deja de hacer lo otro, porque lo digo yo". El caso es que yo sí lo estimaba y me fui dando razones, en el tiempo de la guerra, para perdonarlo. Estaba tan lejos y en un mundo tan feroz, que deseaba volver a verlo, aunque sólo fuera por salir de aquel infierno. Y me venían a la memoria hechos que justificaban la estimación de ese padre: que si una vez me compró un remolino con papel de colorines, que si otra vez me dio un patacón en la feria, que si en otra feria me compró un paquete de almendras garrapiñadas. Cosas que te venían a la cabeza y te quitaban el disgusto. Es verdad que me había vendido como si yo fuera un animal, pero alguna razón tendría para haberlo hecho. A lo mejor él tenía por encima a otros que le obligaron a obrar de ese modo. Mira lo que son las cosas, que me enteré por un sermón que nos echó un cura castrense de que un santo estuvo a punto de matar a su hijo, al que quería sobre todas las cosas, porque se lo había mandado Dios. Eso me hizo darle al caletre. A lo mejor, mi padre también me había enviado a la guerra porque algún dios se lo había ordenado. A lo mejor, ese dios era don Remigio y mi padre no tuvo otra que pasar por el tubo ¿Recuerdas que dije que los tratos de mi padre con don Remigio nos iban a traer problemas? Pues uno de ellos cayó sobre mis espaldas.

—Abuelo, no entiendo nada de lo que dice. Vaya al grano.

—Sí, niño, ya. Pues el grano es que tuve que ir a la isla sustituyendo al hijo mayor de don Remigio. A eso le llamaban ir de sustituto. Y, lo peor de todo, es que yo me enteré del asunto cuando ya todo estaba decidido. Se me puso una mala leche que para qué te cuento. Podrían haber contado con mi opinión cuando estaban realizando el gravoso trato. Inclusive podrían haberlo disimulado, mandándome a la guerra sin que yo supiera el verdadero motivo. Poseían los medios para hacerlo, porque don Remigio tenía influencias y yo era un ignorante. Simplemente me hubieran dado la orden mis superiores del regimiento, para que yo hubiera tenido que obedecer sin más remedio. Pero no, tuve que pasar por el disgusto de enterarme de que era sustituto, sin cobrar ni un puñetero patacón. Que tenía yo compañeros que se habían prestado voluntarios para esa labor y habían cobrado una buena pila de cuartos. Sin ir más lejos, el Magro se embolsó, por hacer lo mismo que yo, nada menos que siete mil reales. Otros no llegaron a cobrar tanto, pero no se quedaron a dos velas, como me pasó a mí.

Cuando me dieron dos semanas de permiso y pude volver a casa, pensé que mi padre me aclararía lo del dinero, que me daría una explicación. Y la explicación que recibí fue que, el hermano Pepones, tu bisabuelo, casi me cruza la cara. "Tú te callas, obedeces y no hay más que hablar". Porque, desde el primer día que llegué a casa de permiso, no hacía más que darle la tabarra preguntándole por el dinero. Y mi padre, tomándome las vueltas y sin darme explicaciones. Cómo me las iba a dar, si no las había. Resulta que don Remigio lo había engañado y mi padre no se atrevía a confesármelo. Había cambiado el peligro que debía correr el hijo, el del señorito, por el mío. ¡Y sin un real de recompensa!

—¿Y qué hizo ese señor para obligar al bisabuelo?

—El bisabuelo no me lo quiso explicar porque era orgulloso y eso era como admitir que lo habían derrotado. "Tú te callas y obedeces", era su única respuesta. De ahí no había quien lo sacara. Luego, con el tiempo, me enteré mejor de lo que había pasado y pude tener un poco más de comprensión hacia mi padre. Resulta ser que un día, don Remigio mandó llamar al hermano Pepones y le dijo: "Voy a ir directamente al grano. Has de saber que a mi Paquito le ha tocado ir a las colonias". "Lo siento mucho, don Remigio. La suerte es muy guarra y, a veces, se caga en lo más florido". "Ya ves lo que son las cosas, yo le estoy dando protección a tus dos muchachos y no puedo dar protección a mi hijo". "Don Remigio, yo creo que usted tiene solución para eso, con todos los respetos, si usted me da permiso para hablarle con sinceridad". "Ah, sí, ¿y qué solución es ésa?" "Pues la del sustituto. Usted sabrá de eso mejor que yo. Si no le molesta que se lo diga, gástese los cuartos y asunto terminado". "Ese es el problema, Pepones, que en estos momentos no ando yo tan sobrado de fondos como para poder hacer un dispendio semejante". "Usted dirá, entonces". "Pues mira, he pensado que tú podrías corresponderme al favor que me debes". "Si está en mi mano". "Tú tienes a un hijo en el servicio militar, ¿no es eso?" "Sí, señor". "¿No te parece que no le costaría nada irse a Cuba, en vez de quedarse en Madrid? Al fin y al cabo, está fuera de casa. Lo mismo le da estar un poco más lejos". "Hombre, don Remigio…". "Sí, ya sé. Pero ten en cuenta lo que me debes. Tú tienes cuatro hijos y ninguno de ellos está defendiendo la integridad de la Patria, que yo sepa. En cambio yo sólo tengo un hijo y me lo quieren embarcar. No es que me importe, hasta sería un gran honor, pero mi chico está estudiando una carrera;

interrumpirla ahora sería arruinarle la vida". "Mis hijos no estudian, pero tienen que aportar un jornal a la casa". "¿Qué quieres decir con eso?" "No, señor, nada. Que yo también necesito a mis hijos". "¿Acaso no los he favorecido yo?" "Sí, señor. Y le estoy muy agradecido. Pero esto es un toma y daca. Mis hijos no sirven al Rey porque están sirviéndolo a usted en el cortijo. Pero usted saca provecho de ellos y yo no lo puedo sacar". "Hombre, en los asuntos de tu casa no me meto. Yo les tengo unas tierras arrendadas y además de sacar unos beneficios, ellos y yo, más sacas tú que te rinden sus buenos dineros y no se los han llevado a servir a la Regenta". "Es que así, de pronto, lo que me manda usted…". "Yo no te mando nada. Lo que te digo es que, dada la situación económica en la que me encuentro, si tengo que pagar un sustituto, no me va a quedar más remedio que vender las tierras en las que trabajan tus hijos. En ese caso, vamos a salir perdiendo todos". "Hombre, don Remigio, tampoco es eso. Que yo no le quiero apretar a usted. Si es necesario, se ven bien vistas las cosas y se solucionan". "Es que yo no veo otro recurso que el que te he propuesto". "Bueno, déjeme pensarlo. Además, tendremos que tener el consentimiento de mi muchacho ¿Y si él es contrario?" "Eso es problema tuyo. Tú eres el que lo ha de convencer".

***

6 / 5 / 2001

Hola, Basi:
Sigo pensando que no debes descartar cualquier actuación de tu abuelo, por muy sorprendente que te parezca. Seguro que mi abuelo dejó más simientes que el tuyo en las colonias y yo nunca me voy a enterar. ¿Cuántos de mi estirpe andarán

ahora por Cuba, Puerto Rico o Marruecos? Según mis pesquisas, en el aspecto de conquistador, pocas mujeres se le resistían a Sorozábal. Aunque su prestancia no lo requiriera, de eso dan fe las fotografías que guardo de él; ¿se gastó quizás una fortuna en su relación con las señoras? Y de ser así, ¿de dónde sacaría el dinero?

***

"Más de doscientos mil soldados, sin instrucción, casi unos críos, pues la mayoría sólo tenía diecinueve años, fueron enviados a Cuba. Con ello se pensaba que se había formado un potentísimo Ejército. En cambio seiscientos setenta y un jefes y oficiales solicitaron la baja en el Ejército, entre febrero y diciembre de 1895, para evitar ir a la guerra. En la misma época, los pagos por redención en el servicio militar se elevaron considerablemente."

***

7 / 5 / 2001

Hola, Evangelina:

Por fin ha accedido mi comunicante a concederme esa entrevista. No obstante, como ya no me fío mucho de él, he decido valerme de una estrategia con el fin de no caer en ninguna trampa. Ya te contaré. Con tanto misterio, estamos olvidando lo fundamental que son nuestras relaciones. No pienses que me olvido del placer que me producen nuestras comunicaciones. ¡Y no te digo nada sobre el gozo de entrevistarme personalmente contigo!

***

—En cuanto a lo del rancho, no te creas que mi regimiento era de los peores. En otros recibían los soldados una sopa con sabor de ajo y pimentón, que no era más que agua. Para colmo, lo que pasaba en un cuartel, creo que era en Soria o por ahí, que no les daban ni sopa de pimentón, nada de nada y sanseacabó.

—¿Y cómo se alimentaban esos soldados?

—Pues se ve que unos iban pidiendo por las casas y otros arramblaban con lo que podían de las sobras del mercado.

—¿Y cómo es que sabe usted eso, abuelo?

—Por las cosas de las expediciones que hacíamos, para traer y llevar reclutas. Si te cuento del hambre que pasamos en ese cuartel que te digo, es para no parar. Que llegamos a media tarde, sin haber comido todavía, con unas ganas de lobos, esperando que nos dieran algo de alimentos en el cuartel. Tenían los santos huevos de saltarse las comidas directamente, sin ningún disimulo de sopa de agua. Era un anticipo de lo que pronto nos habría de pasar en Cuba. Pero aquí, al menos los soldados tenían más recursos para llenar la andorga. Como te digo, al ver que no nos daban nada de comer, preguntamos a los compañeros dónde andaban las sobras del rancho de medio día, a ver si había alguna cosilla con la que poder engañar el hambre hasta la cena, aunque fuera algún chusco. Ellos se nos echaron a reír. "Para haber sobras tendría que haber habido rancho. Si queréis comer, tendréis que agenciaros vosotros la manducatoria". Con que ahí nos tenías pidiendo, de puerta en puerta, como ya era uso en los soldados de aquel cuartel. Como ellos estaban tan acostumbrados, no les acompañaba la vergüenza, pero a mí se me caía la cara al suelo de ese mal. Si no hubiera sido porque iba al lado de otro hambriento de aquellos, que tenía mucho desparpajo, casi me hubiera dejado matar por la gana. De todas formas, el hambre es muy mandona y te obliga a hacer cosas que nunca harías por tu propia voluntad, ¡hasta robar si se tercia!, fíjate lo que te digo. Se ve que la gente de esa ciudad se guardaba de lo que ellos llamaban la soldadesca, como de la peste. Muchas puertas, cuando íbamos a pedir, no se abrían porque adivinaban que eran los mozos del cuartel los que llamaban. No había quien dejara nada de valor a la vista, para que no desapareciera en un plisplás. Y cuando abrían, ya sabían que nos tenían que dar algo de comer, mi compañero pedigüeño se lo exigía. Ni qué decir tiene que los señorones, al vernos venir, nos tomaban la vuelta, pues sabían que no los íbamos a dejar hasta que no soltaran al menos unas perrillas. Salían corriendo y nosotros los teníamos que perseguir.

—¿Y qué les daban en las casas?

—Casi siempre las sobras de las comidas. Las que ya estaban guarreadas. Porque, de no ser para nosotros, hubieran ido a parar a los gorrinos o a las gallinas. En todos los días que paré allí, no conseguí que nadie me diera ni siquiera un cacho de pan blanco. Algún tomate despachurrado es lo único fresco que logré. Lo demás eran guisados viejos a los que habían quitado las chichas, caldos con alguna patata solitaria que la criada sacaba al quicio de la puerta y que nosotros almacenábamos en una lata no muy aseada. Como cada vez que nos socorrían nos daban unas sobras distintas, juntábamos en esas latas un revoltijo que sólo un hambre canina te obliga a pasar por el gaznate. Añádele a todo eso que el mejunje final estaba frío para comerlo y así nos lo habíamos de tragar, a escondidas.

—¿Por qué?

—Pues porque los jefes tenían prohibido a los soldados

mendigar. Por lo visto, era contrario al honor y dignidad que debe reinar en el Ejército. "Eso quita prestancia", como decía el teniente Agudo.

***

12 / 5 / 2001

Hola, Basi:

Para mí también es agradable tener un encuentro personal contigo. Aparte de que tienes muchas cosas que contarme, respecto a ese asunto del comunicante. Concertemos nosotros también una cita. Seguro que no te fallaré.

***

"Soldados: las cruzadas y tradiciones, puestas en peligro por los rebeldes, enemigos de nuestra desgraciada España, os piden el glorioso deber de dejar, siquiera sea por poco tiempo, las ricas tierras en que nacisteis, surcar los profundos mares y sentar las plantas ante las enemigas tierras cubanas. Viva España será siempre vuestro lema guerrero. Por España debéis luchar hasta morir. Que, muriendo en defensa de la Patria, vuestro nombre será imperecedero y las generaciones del porvenir rendirán verdadero culto a vuestra valentía. Sobre todo, tened en cuenta que tenéis la honrosa gloria de participar en una Guerra Santa. Sabed que, cada enemigo que muera es un enemigo de Dios, que irá a ocupar el sitio privilegiado, al lado de su padre que es Satanás. Porque el Diablo reina en Cuba a sus anchas. Los insurrectos han quemado dieciocho iglesias y se ha desatado un verdadero infierno contra la religión. Que Dios os acompañe, como os acompaña nuestro cariño y que pronto tornéis victoriosos a vuestro hogar querido, en donde dejáis las más hermosas afecciones. Sabed que, así como Moisés levantó las manos al cielo para bendecir a su pueblo, el Sumo Pontífice León XIII, desde el Vaticano. Os envía también su apostólica bendición."

(Resumen del discurso del Nuncio Apostólico, en la despedida de las tropas en Valencia).

***

17 / 5 / 2001

Hola, Evangelina:

Si no nos vemos más a menudo, ya sabes quien tiene la culpa. Yo tengo como prioridad encontrarme contigo, mande lo que mande mi agenda. Si lo dudas, ponme a prueba y te cerciorarás.

Claro que he de contarte muchas cosas. Te adelanto por escrito que he conseguido la entrevista con el tal Luz que tanto deseaba. Bueno, digo entrevista y no es tanto así. Me explico. Resulta que concertamos el encuentro a las diez de la noche, en un bar de Malasaña, por conveniencia de mi corresponsal. Decidí disfrazarme —en lo que pude, porque ya sabes que para eso soy un desastre— y acudir al lugar en plan observador. No me daría a conocer, si no estaba seguro de la persona con quien me tenía que conferenciar. Así lo hice. Y a su vez, esa persona habría de llevar el diario Público en la mano derecha y *Estrella distante*, el libro de Bolaño, en la izquierda. Resultó ser una mujer (debí haberlo sospechado, Luz es un nombre femenino, pero creí que era un seudónimo). ¡Y qué mujer! Una mulata muy clara, con tipo despampanante, cara de ángel, ojos de fuego. Su presencia me dejó otro desconcierto más que añadir a mi colección. Sin embargo, fui yo esta vez quien faltó a la cita, no me di a conocer, me limité a observar. La joven se dedicó a esperar. Al sobrepasar con creces la hora concertada, empezó a ponerse nerviosa, a mirar el reloj, su cara pasó de sonriente a enfadada. Media hora más tarde acabó por marcharse.

No sé si he obrado bien. Puede ser que haya cometido una tontería sin necesidad, pero es que me vi tan sorprendido con la presencia de esa joven, que no fui capaz de reaccionar. A ver cómo arreglo yo ahora este desaguisado.

***

—Cuando las cosas se te atraviesan en la cabeza, todo te va saliendo mal, porque todo lo miras atravesado. Como yo iba a la guerra a contrapelo, todo lo miraba con mal ojo.

—Abuelo, ¿no le parecía a usted un honor poder ir a defender la Patria?

—Si tú vas a quedar mejor así con el profesor, escribe lo que a ti te parezca, pero ya sabes que yo no ramaleaba bien en eso. Creía que me iba a montar en el barco, en Valencia, porque mi padre era tonto. En medio de todos aquellos jolgorios, yo no estaba para otra cosa que para ver cómo se iba acrecentando mi mala leche. Otros compañeros estaban cabreados, creían que las autoridades cometían una injusticia con ellos. Yo, no. Yo sólo estaba cabreado con mi padre. En cada estación de tren había un gentío de señorones que gritaba a coro vivas a España, al Ejército y mueras a Martí, a Gómez, a Maceo y a otros caudillos independentistas cubanos. Como nunca había oído nombrar tales nombres, no entendía de qué iba el cantar. En los pueblos grandes solía haber una banda de músicos que

tocaba una marcha, entonces muy de moda, y que la muche-
dumbre cantaba emocionada, como si le hubiera dado cuerda,
cada vez más alto. En momentos así, la gente se volvía muy
desprendida y nos hacía regalos que engolosinaban a mis
compañeros. En cambio a mí, me aumentaban la mala uva
porque esos señorones me recordaban a don Remigio, el que
había engañado a mi padre. Nos daban cajas de galletas, mantecados, ristras de morcillas o chorizos, botas de vino, alguna
botella de aguardiente, tabaco… En fin, cosas de esas. Los
mandos nos animaban a coger esos regalos, querían tenernos
contentos. Andaban con la mosca tras de la oreja porque, por
lo visto, había habido muchas sublevaciones. Ya te había contado eso.

—¿Y por qué se sublevaban esos mozos?

—¡Yo qué sé! A nadie le gusta ir a un sitio tan peligroso y,
además, con tanta injusticia, porque unos íbamos y otros se
quedaban a salvo por su cara bonita. No sabíamos la que nos
esperaba. Algún compañero, de los que sabían leer y estaban
enterados, nos contaba que la gente andaba muy indignada
por todas partes y que había habido manifestaciones en contra de la guerra en muchas ciudades. No te puedo decir si era
verdad o no, porque yo no las vi.

Así la pasamos todo el camino hasta Valencia. En las estaciones donde no había manifestaciones y gritos, había discursos de alcaldes y sermones de curas. Vestido de gala, el sacerdote se ponía frente al tren y nos decía cosas importantes: que
éramos hijos de la Patria, que si alguno tenía el honor de morir
en la batalla iría derechico al cielo, porque ante la grandeza de
defender a España, se borran todos los pecados.

Después de tanto festejo, por fin llegamos a Valencia.
Fuimos a instalarnos a un edificio destartalado. Se ve que
antes había sido una fábrica. Allí nos aposentaron ¡Qué horror

de sitio! Ya me hubiera gustado a mí que tuviera la decencia de la cuadra de mi ganado. Había más de un centímetro de espesor de polvo. Las ratas, hasta que se espantaron de nosotros, eran dueñas de la situación. La lluvia caía con más fuerza que en la calle porque se acumulaba en el tejado, procedente de los canalones, y descargaba con coraje sobre nuestros petates. Era un entrenamiento para la que nos iba a caer después en la isla. En cambio, el rancho, aunque no fuese una maravilla, no estaba mal, ya que estábamos acostumbrados a lo peor. No sé si siempre llueve de esa forma tan bárbara en Valencia, no te lo puedo decir porque no he vuelto a esa ciudad. Pero en los días que nos tocó embarcar, nos remojamos bien remojados. Y en medio de esa charca y esa trifulca, nos tuvimos que arreglar y asear como si fuéramos de fiesta, pues nos iban a contemplar miles de señoras y señores con sus trajes empingorotados. Nuestro uniforme de rayadillo debía estar impecable para no desmerecer ante ellos. Hubo mucho paripé. Nos formaron en una explanada muy grande que había frente al puerto y, en esa formación, tuvimos que aguantar los discursos de unos señorones, que debían ser muy importantes. Lo digo porque lucían unas barrigas muy orondas, envueltas con fajines y trajes de príncipes. Se subían a un altillo y, desde allí, nos voceaban palabras que no siempre comprendíamos. Todos venían a decir que teníamos suerte y que, de entre millones y millones de mozos, nos había tocado a nosotros defender a la madre Patria de nuestros enemigos, que querían cortarla a cachos. Que nosotros éramos los encargados de darles en la cresta a unos salvajes que no pensaban más que en asesinar a todos los blancos que se pusieran por delante. Y nosotros, venga a aguantar allí. También subió al altillo un obispo muy importante. No te quiero ni decir cómo nos mareaban esas palabras. Y para colmo, teníamos que fingir cara alegre para el alborozado gentío que nos contemplaba. Ya nos había advertido el sargento, "como vea alguna cara de plañidera en la formación, después le van a arder las costillas al interesado". De manera que no tenías más que hacer de tripas corazón.

Mira al propio Agapito Tejero; ése no aguantó más, se le saltaron las lágrimas y hasta empezó a hacer pucheros. Cuando estuvo en el barco, bien que recibió unos correazos en recompensa. Ya ves, "encima de putas, apaleadas". Agapito era apocado y se conformaba con llorar; su caso había sido incluso peor que el mío: lo habían cazado cuando ya estaba con el servicio militar cumplido, en la reserva ¿Te imaginas? Va y se chupa tres años de mili. Imagínate más, que parte de la mili la había pasado en África. Después de pasar tantas fatigas y, cuando cree que ya se ha librado del compromiso, vuelve a su pueblo y empieza una nueva vida. Ya puede hacerlo. Ya ha cumplido con el Rey. Abre su pequeño taller de ebanistería y retoma el oficio que había interrumpido durante tanto tiempo. Poco a poco vuelven los clientes, poco a poco va conquistando un sueldecillo. "No te creas que no me ha costado empezar de nuevo", se quejaba Agapito. Con persistencia todo se consigue. Ya le sonríe el porvenir. Ya tiene unos ingresos con los que poder formar una familia. Se casa sin ninguna preocupación y, cuando sólo ha gozado tres meses de matrimonio, le llega la mala noticia: otra vez lo llaman para que se incorpore a filas. Es tan fuerte el impacto que recibe que, en principio, no lo puede creer. Tiene que ser un mal sueño del que va a despertar en cualquier momento. "Basilio, fíjate si me sentó mal, que me negué a salir de mi casa y, hasta que no vino la Guardia Civil a por mí, no me moví". "Agapito, a lo mejor eso que te pasa a ti es una equivocación". "Nada de equivocación, me explicaron que, como estaba en la reserva, el gobierno tenía derecho a incorporarme de nuevo a filas. Y como en Cuba necesitan muchos hombres, tuvieron que echar mano de los reservistas. Y no es sólo mi caso, en Madrid me he encontrado con un montón de casos como el mío".

***

25 / 5 / 2001

Buenos días, Basi:

A mí, lo que me desconcierta es tu modo de obrar. No me lo explico. Te mueres de ganas por conocer a tu corresponsal y, una vez que lo tienes a mano, te acobarda hablar con él. Es más, puede ser que le hayas causado tanto enfado que no quiera comunicarse más contigo. A ver cómo arreglas ahora ese desaguisado. Seguro que, en el fondo, lo que temes es encontrarte con noticias que no cuadren con el concepto que tienes de tu abuelo. Las cosas no son así.

No es que quiera darte lecciones de ninguna clase, pero recuerda que yo siempre he desconfiado de las narraciones épicas sobre mi abuelo. He procurado ser independiente e indagar hasta dar con la verdad. Estando en esta tarea, descubrí unas cartas de Sorozábal, dirigidas a mi abuela, en las que le daba instrucciones tajantes respecto a cómo se había de comportar en la educación de sus hijos. Incluso la amenazaba con volver rápidamente al hogar, para poner él mismo orden, si no se cumplían sus deseos. Eso me refuerza en la idea de que su carácter cuartelario se aplicaba a todas las facetas de su vida, incluidas las relaciones con su familia.

***

"En 1873, Ruiz Zorrilla, apoyado por los republicanos, decidió presentar un nuevo proyecto de ley para promover la abolición de la esclavitud en Cuba y Puerto Rico. Los constitucionalistas, los carlistas y los partidarios de Alfonso XII se coaligaron contra el proyecto. Únicamente en 1880, las Cortes ponen fin a la esclavitud y en 1886 se suprime sin límites."

"Una de las soluciones para no ir a la guerra era la de no acudir al alistamiento. El número de desertores creció considerablemente en el Norte y en el Sudeste."

***

31 / 5 / 2001

Hola, Evangelina:

¿Ves? Lo que a ti te contrarió, a mí me alegró sobremanera. Que tu hija nos tomara por algo más que amigos, me llenó de cierta alegría. Ojalá fuera verdad. Perdona, ya ves lo loco que soy. Me lío la manta a la cabeza y me dejo llevar por el primer impulso. No escarmentaré nunca. Y te digo una cosa: quiero parar ese impulso porque temo hacerte daño. En lo que a mí se refiere, estaría dispuesto a pagar el precio que fuera necesario con tal de que nuestra amistad pasara a mayores.

Si lo que te he escrito te parece una impertinencia, bórralo. Ya sabes que nunca se me ocurriría molestarte.

Por ahora, sigo sin comunicación con Luz. Me temo que haya roto definitivamente conmigo. Le escribí un mensaje pidiéndole disculpas por llegar tarde al encuentro. Le puse la excusa de que me había retenido la policía, por un control rutinario de tráfico, pero no me ha respondido. Debe seguir enfadada.

***

—No te creas que ir tan apretados como haces de mies, en ese cascarón de nuez, rodeados de agua por todas partes, no trajera consecuencias, que unos cuantos la palmaron ya por el camino, sin necesidad de haberse enfrentado al enemigo. A mí me parece que murieron de bascas o de terror, aunque los médicos dijeran que era de calenturas y otras enfermedades. Lo que más espanto nos daba era no poder explicarnos cómo un barco tan grande, que llevaba tanto hierro en su hechura, pudiera flotar en el agua. Nos parecía un milagro que no podía durar eternamente. Alguna vez se hundiría y nosotros con él. Cuando te parabas a pensar, te entraban unos temblores que para qué te cuento. Porque yo era la primera vez en mi vida que veía el mar y mira con qué bautismo. Me causaba mucha angustia, lo mismo que a casi todos mis compañeros, no saber nadar. Si alguno había nacido en un puerto y sabía flotar en el agua, lo veíamos como una persona de gran valía. ¿Qué iba a ser de nosotros si perdíamos la protección del barco? Y eso que la embarcación no era ninguna maravilla. Al contrario, era un puro asco por donde te movieras, si es que, con suerte, te podías mover. Ni siquiera podías estirar las piernas para dormir, uno tenía que mantenerse encogido durante días y días. Los unos nos estorbábamos a los otros, porque la cubierta parecía un hormiguero. Y no te quiero decir nada de los mareos y vómitos que teníamos. Aquello era echar la primera papilla por la boca. Normalmente, y cumpliendo órdenes de nuestros superiores, había que ir a arrojar por el brocal de cubierta, para echar la porquería al mar, pero, a muchos no les daba tiempo y soltaban el mandado donde les pillaba, a veces encima de un compañero. Y como era imposible limpiar bien la cubierta por la aglomeración de pasajeros, estábamos pegados a una capa de porquería que olía a perro muerto. En el viaje pasamos frío, calor, lluvia, granizo. Y todo lo tuvimos que sufrir a contrapelo. Si hacía calor, nos daba una sed desesperante, que no sabíamos cómo calmar por la escasez de agua. No te digo que no hubiera alguna cantidad en unas tinajillas escondidas por los rincones del barco, pero no bastaba para tantos viajeros y, además, sabía como a sal y nos descomponía el cuerpo. Una de las cosas malas que recuerdo eran las colas en las letrinas, cuando te daban retortijones de barriga, te ibas por la pata abajo y tenías que aguantar porque no te tocaba el turno. Eso era en los periodos de calor, que no veas cómo sufríamos con los temporales en la cubierta, poniéndote como una sopa. Había días y días en los que se calmaba la sed de una semana, porque no tenías más que abrir la boca, ponerla para arriba y ya se te llenaba de agua. Agua por dentro y por fuera. La única protección que teníamos era meternos bajo lonas, donde se sentía tanto agobio como dentro de tumbas.

—Abuelo, yo creo que exagera usted un poco. Creo que se deja llevar por ese miedo que usted tenía a navegar. A los quintos que les toca hacer la mili en la marina, se les pasa el tiempo tan ricamente y están encantados con su navegación. Además, para muchas personas el mar es un placer. Cuentan que los millonarios gastan su dinero en comprar barcos y gozar con ellos.

—Será. No te digo que no. A lo mejor, la gente que ha nacido junto al mar y tiene costumbre y trato con él, puede que lo disfrute. Yo estaba, y desde entonces estoy, muy alejado de las cosas marinas. ¡Ojalá que nunca hubiera tenido la ocasión de montarme en un barco! El agua me da grima. Por eso no quise quedarme en la isla, porque se veía el agua por todas partes, por poco que te movieras. Eso me removía el estómago. Y más se me removió cuando volví a España, porque, ¡ya te contaré cómo fue el viaje de vuelta! Y lo que te he contado hasta ahora es sólo el aperitivo de otras tragedias que sufrí después, ¡porque vaya con Dios con las tormentas! Hubo mucha diferencia entre el embarque y el desembarque. Si los que montamos al barco en Valencia estabamos arropados por toda la gente que nos acompañó en el acto y que, con sus gritos y ánimos, algo nos pegaría de su alegría; ahora, al pisar el suelo de Santiago de Cuba, parecíamos almas en pena. Éramos como viejos a los que les cuesta andar, con caras de funeral y de hambre. Si te digo la verdad, a casi todos nosotros nos deberían haber llevado al hospital. Si no hubiera sido por el miedo que le teníamos a la enfermería, ya sabes porqué, nos habríamos apuntado ocho de cada diez. Todos necesitábamos un repaso, no te creas, pero fingimos que estábamos sanos como manzanas.

Desde luego que la edificación en donde nos alojaron, cerca de la ciudad, era un poco más decente de la de Valencia. Allí nos dejaron descansar y recuperarnos durante diez días. Esto despertó ilusiones en mí. A lo mejor esto no era tan malo como yo me lo esperaba. Pronto olvidamos los pesares de la travesía y pudimos reponernos con el rancho, aunque el arroz o los garbanzos con tocino, además de un pescado soso, eran la rutina. Claro que, comparado con lo del cuartel de Madrid y lo del barco, aquello era un banquete. Y lo que más nos alegraba era poder beber toda el agua que quisiéramos, sin que nadie nos pusiera cortapisas. Eso no tenía precio. Luego, la ciudad me parecía bonita, había muchos adelantos que a nosotros nos dejaban asombrados. Las luces de las calles marchaban por electricidad, y no había gas, como pasaba en Madrid. Las calles estaban más limpias que en nuestra capital y lo que más me llamaba la atención eran esas mozas tan lindas y tan ligeras de ropa. Tú ya eres un mozalbete y estás al tanto de las picardías que existen entre los hombres y las mujeres. Ya verás cuando seas mayor cómo te atraen las hembras y se te van los ojos tras ellas que, con sólo mirarlas, te alegran la vida. Que en todo tormento se necesita un descanso y nosotros nos alegrábamos con las muchachas aquellas, las que tenían el color de café con leche y las más blanquitas.

—¿Y qué hacían ustedes al respecto, abuelo?

—Hombre, eso ya te lo puedes imaginar. Hacíamos lo que podíamos para pasar el rato. Tampoco vayas a pensar que tu abuelo era un bala perdida, que a mí siempre me ha gustado ser decente. No se me puede acusar de que visitara las casas de mala reputación. Desde luego, no te puedo ocultar que iba a las cantinas, donde servían el aguardiente tan fuerte que te ponía la alegría en el cuerpo y que te hacía ser atrevido con las hembras. Allí se bailaba y se tonteaba un poco, pero nada más, que la cosa del dinero tampoco daba para mucho. La escasa paga que nos daban llegaba tarde, mal y nunca. Y, si algo llegaba, no nos daba ni para comprar algo de comer. En fin, éramos jóvenes e inconscientes, algunas de esas tabernas visitábamos, aunque sólo fuese para mirar. Otros se conformaban con pasear por las calles, que eran como entrar a ver un espectáculo: carruajes, para arriba y para abajo, con esos caballos tan vistosos y bien arreglados, las calesas de cuatro tiros, ¡y hasta el primer automóvil que vi en mi vida! Era un adelanto que me causó estupefacción.

—A mí me gustaría vivir las aventuras que usted vivió; ver tantos lugares como usted vio ¡Qué bonito tiene que ser encontrar cosas nuevas que uno nunca ha visto!

—Niño, has de aprender a pisar en el suelo. En eso del estudio y la cultura, también hay su parte mala: que te llenen la cabeza de pájaros. En ninguna parte del mundo está uno como en su casa, por muy mal que le parezca y por mucho que se queje.

—Entonces abuelo, los cubanos también estaban en sus casas. Con ese clima tan insoportable, que usted dice que hace allí, no se encontrarían bien. Ellos no podrían decir lo que dice usted.

—Pues también ellos lo pueden decir. Los cuerpos son como las plantas. Si se han aclimatado desde su nacimiento a esa forma de calor, cuando los sacan de ahí, seguro que también se encuentran a disgusto. Eso me pasaba a mí que, al llegar a la isla, me entraba una cosa en el pecho que parecía que me iba a ahogar.

El Coronel Chapanueva nos echó una arenga, una vez que todos estábamos formados en la gran explanada. Faltaban muchos de los que habían venido en los barcos porque se encontraban en los hospitales, más de la cuarta parte, según decían. Mientras hablaba el jefe, los hombres tuvimos que aguantar el malestar que empezabas a sofocarnos. ¡A quién se le ocurre tenernos formados a las tres de la tarde, en pleno soletón! Yo quería seguir el discurso de aquel hombre, tan importante para nosotros en aquel momento, porque hablaba de cuál sería mi destino durante el tiempo que estuviera en la isla, pero los ardores que me subían del estómago me lo impedían. Había una dura lucha entre mi vista, que quería nublarse, y mi voluntad que la obligaba a permanecer despierta.

Tengo que decirte, y no lo tomes por bravuconería, que en aquel momento fui uno de los que consiguió mantenerse en pie. Otros no tuvieron tanta suerte y cayeron al suelo, sin conocimiento. Entre vaivén y vaivén, cacé algunas de las palabras del coronel. Eran, más o menos, las mismas de siempre, repetidas cada vez que nos ponían en formaciones de ese tipo.

Eran palabras de ánimo. Te las disparaban a la cabeza para que no se te escurriera el valor hasta los pies y lucharas allí. Era algo así como cuando bebes, te achispas y haces cosas que nunca harías sereno. Con aquellas palabras, también querían emborracharnos y sacar todo el arrojo que lleváramos dentro del cuerpo: "¿Quién de vosotros iba a dejar que insultaran a su madre, que le pegaran, que la maltrataran? Sé que ninguno de vosotros. Pero tengo que deciros que hay malos hijos que se esconden, con tal de no defender a sus madres. Son los desertores, a quienes no parece importarles que traten a sus madres de putas. No tienen vergüenza cuando los puedan llamar, con todos los derechos, hijos de puta. Algunos de ellos serán toda su vida unos degenerados, unos malditos que han suprimido de sus vidas la dignidad. Otros, en cambio, habrán de cargar con sus conciencias, durante el resto de sus vidas. Ahora, vosotros, mozos, vais a tener el honor de defender a la madre Patria. Vais a tener el privilegio de castigar a los que han faltado al respeto a vuestra madre. ¿No os dais cuenta de lo que eso supone?, ¿no os dais cuenta de que sois los elegidos? Los otros buenos hijos también arderán de furor, ante las heridas que les están causando a nuestra madre, pero no podrán defenderla, porque no es posible que todos participen; sólo vosotros, los privilegiados, podéis hacerlo". Mientras el coronel Chapanueva nos levantaba el ánimo a los que aún teníamos la cabeza despejada. El hombre importante nos prevenía, a continuación, de los enemigos a los que debíamos combatir, borrar del mapa si era posible: "Unos salvajes que no tienen más que ferocidad, pero que, como no poseen armas ni Ejército, os resultará fácil anular. Habéis de estar atentos a las indicaciones de vuestros mandos. Contra nuestro moderno armamento, ellos tienen machetes. Lo único que tenéis que procurar es que no os cojan a traición".

***

6 / 6 / 2001

Buenas noches, Basi:

En definitiva, tienes lo que te mereces. Pienso que lo que te pasa es que te da miedo afrontar la verdad. Desaprovechaste la oportunidad que sólo suele pasar una vez por delante de uno. Habrás de conformarte con los datos que tienes de tu abuelo ¿Ves como tengo razón al afirmar que sigues anclado en la adolescencia y no te atreves a soltarte de ella?

***

"En 1869 se consolidaban los voluntarios de Balmaceda, financiados por sectores integristas de Cuba, para luchar contra la rebelión de los esclavos. Los voluntarios jugaron un papel importante, no sólo luchando contra los independentistas, sino contra los periodistas, intelectuales y todo aquel que tuviera ideas simplemente autonomistas."

***

9 / 6 / 2001

Buenas tardes, amiga:

Tampoco es tan malo conservar la ingenuidad y el espíritu apasionado de cuando éramos jóvenes. No sé si tienes razón cuando afirmas que tengo miedo a la verdad; yo mismo no puedo explicar lo que me pasó en la frustrada entrevista. Me quedé paralizado y no supe reaccionar a tiempo. Eso es cosa de un buen psicólogo y de un intenso estudio. De todas formas, espero poder arreglarlo en cuanto se le pase el enfado a mi corresponsal.

Lo que sí sentiría es haberte decepcionado a ti. Sabes que para mí eres una de las personas más importantes del mundo.

***

—Niño, pocas noticias tenía de la familia, nadie de los míos sabía escribir y tenían que pedir favores si alguna vez querían mandarme una carta. Tampoco me enviaban paquetes, pues yo se los había prohibido: los alimentos, al llegar a la isla, ya estaban más que podridos. Mi preocupación era por la familia que había dejado y las noticias que me llegaban, que no eran muy halagüeñas. Más que nada, era por egoísmo, no te lo voy a negar. A la familia la quería, pero ¿si al volver a casa me encontraba con que estaban en la ruina?, ¿salir de una pesadilla para caer en otra? Lo que me contaba el amigo González me bajaba el ánimo. Todavía me acuerdo del sucedido de unos vecinos de su familia, los Gurripanchos. Adversidades de la vida, decía González. Se ve que esos vecinos sólo tenían un hijo al que querían librar de la guerra, así que se pusieron en manos de un prestamista. A ver qué necesidad tenían de eso, que hubieran vendido un trozo de tierra y santaspascuas. Pero ellos se dejaron liar por uno de esos tíos, por sus palabras bonitas y cuentos de la lechera. Luego no pudieron responder a los intereses tan altos en el momento oportuno y se vieron con la soga al cuello. Las cosechas, el hielo o las nubes se pusieron de parte del usurero. Dio la mala pata de que la escasez reinaba por todas partes y no se podía esperar nada bueno si uno se entrampaba. Cuando los Gurripanchos dejaron de

pagar las letras que había firmado, se vieron sin un mal celemín de tierra y en la propia calle, porque hasta la casa les
embargaron. Y como ellos mucha gente, que hubiera debido
estar tan tranquila en sus casas, quedó arruinada.

No sé qué pasó que, de repente, los elementos se torcieron.
Los que no tenían nada, se morían de hambre porque no
había forma de comprar las pitanzas más necesarias con el
jornal que ganaban y, a los que teníamos cuatro picos de tierra, tampoco nos alcanzaba casi ni para cubrir los gastos. En
tiempos de paz, en nuestra familia, mal que bien, íbamos
sacando el pellejo: las viñas daban cuatro uvas, los cereales y
las olivas también dejaban una perrilla. Lo mismo pasaba con
el ganado que, además de dar una peseta, iba creciendo en
número de cabezas. Con la guerra lo pasaron mal muchas personas, incluso las que no participaron en ella. Y al terminar la
guerra, continuamos pagando las consecuencias aún durante
mucho tiempo. Como te decía, a mí me entró el canguelo de
que, al volver a mi casa, no pudieran atenderme por haber
caído en desgracia.

—Pero usted tenía una familia grande. Si no eran sus padres,
porque ya serían viejos, algún hermano lo podría atender.

—¡Quita de ahí, niño! Antes al contrario, he sido yo el que,
durante toda la vida de adultos, ha tenido que echar una mano
a mis hermanos. A la hermana que aún me queda, no. Esa
hizo una buena boda y, gracias a Dios, nunca le ha faltado para
comer. Tampoco le fue mal al pequeño desde que se colocó
de portero en una finca de Madrid, pero nada de tirar cohe-
tes. En cambio, no les fue muy bien a mis dos hermanos
mayores, que en paz descansen. Muchas veces me has oído
contar cómo don Remigio se portó mal con ellos ¡Encima que
engañó a mi padre en lo que se refiere a mí! Con mis hermanos hizo lo que quiso, ajustándoles cada vez más los contra-

tos de arrendamiento. Entre eso y que se casaron y se llenaron de churumbeles, han andado toda la vida escasos de medios.

—Abuelo, ¿y por qué sus hermanos no dejaron de servir a ese señor si era malo?

—Cosas de la vida. Y que los tenía bien amarrados; sabía llevarlos por donde a él le interesaba, con el temor a las guerras y con el lío de deudas que siempre tenían con él.

—¿Qué guerras?, ¿no acabaron con la de Cuba?

—¡Qué va! Continuaron las de África. Y mis hermanos, aunque ya no estaban en edad de servicio, permanecían en la reserva, que entonces duraba doce años. De eso se valía don Remigio para meterles el miedo en el cuerpo.

A lo que iba, que la familia le parece a uno muy importante cuando estás tan lejos de tu tierra y sin saber si vas a salir con vida o no ¿Recuerdas lo disgustado que estaba con mi padre? Pues allí casi se me pasó el tormento. En una situación tan extraña como la guerra, mi cabeza era como una pizarra de la que se podían borrar con un trapo todas las ofensas escritas en ella. En las oscuras noches de la manigua, después de un día de hostigamientos del enemigo, cuando se nos podían echar encima los diablos cabalgando con sus machetes, si conseguía conciliar el sueño era para tener pesadillas. Soñaba que volvía a mi casa, el único refugio que me quedaba en la vida, lisiado. Sí, sueño que mi madre me recibe con abrazos y lágrimas. Me consuela, me trata como si fuera un niño de teta. También mi padre me abraza, pero creo que no le agrada mucho la desgracia que ha entrado en su casa, que soy yo. Arruga el entrecejo para dar a entender que está preocupado. No sé si le agobia mi adversidad por sí misma o por lo que ella arrastra: tener que alimentarme gratis por toda la vida. Tendrá que hacerlo, además de porque es su deber de padre, por el qué dirán. Ante esta situación, a mí no me queda más que agachar la cabeza y hacerme el tonto. Que hagan conmigo lo que quieran. Ahora soy como una piedra. Si me quieren dar de comer, que me den. Si me quieren dejar morir de hambre, que me dejen. Pasan los días y los meses. Mi madre sigue tratándome con el mismo cariño de siempre, pero a mi padre la situación se le va haciendo pesada, noto su rechazo. Adivino que tiene preparado un plan para que yo me vaya lejos de la casa, a donde nadie me conozca, y me dedique a pedir limosna. Ya me veo pidiendo por compasión en una ciudad desconocida: "Caridad para un pobre tullido de guerra que no se puede ganar el pan".

—Venga, abuelo, no se haga mala sangre pensando en si su padre lo quería o no. Cuénteme lo de la desgracia de su amigo.

—¿De qué amigo hablas? Perdí muchos en esa guerra. Y, fíjate lo que son las cosas, de todos los conocidos que tuve, casi ninguno murió de las batallas, sino del hospital.

—No lo entiendo, abuelo.

—Que, de mis amigos íntimos, sólo el Rubio murió luchando. Fue durante una emboscada que nos tendieron los mambises. Murió desangrado en medio de las cañas de azúcar. Un negrazo de esos le había herido el cuello con su machete. Salió de detrás de una loma como una exhalación, montado en su caballo y, antes de que nos diera tiempo a echarnos el máuser al hombro, ya había dañado al Rubio y desaparecido. Así era esa gente. Pero no abundaban los casos de esos. Los muertos eran más bien de hospital, ya te digo. Si no hubiera sido por eso, González y otros muchos hubieran vuelto a sus casas. Había tantas enfermedades que nos tenían más acobardados que el enemigo; unos decían que era cosa del clima, de los mosquitos y de los bichos raros que había por allí; otros decían que los negros eran brujos y sabían echarnos su mal de ojo u otras brujerías que se les daban muy bien; los terceros decían que se debían a las muchas porquerías que nos tocaba meternos en el cuerpo, por las narices, la boca o el pellejo.

Yo creo que más bien fue por la boca por donde le entró el mal a González, porque fue en lo único en lo que se diferenció de mí. Mira que le dije que no bebiera de esa agua. Pero él, ciego de sed como estaba, no pudo atender a razones. Yo tuve que beber mis propios meados, y menos mal, porque me libré de beber de esa cosa asquerosa que se llevó a González a la tumba. Cuando ya ha pasado todo, cuando estás en tu casa con tu jarro de agua limpia y fresca, te preguntas, ¿cómo fui capaz de tragar aquellas inmundicias? No te acuerdas de que eres esclavo de tu cuerpo y que si él te manda que bebas un agua que huele mal, llena de animales muertos, tú obedeces y bebes, porque la sed te desespera. Lo mismo que cuando estás en tu mesa, con tu pan tierno, tus buenos chorizos y jamones, te dices ¿cómo es posible que comiera ratas y algún cacho de caballo muerto? Pues a González le dio el telele cuando íbamos de marcha entre una ciudad que le decían Manzanillos y Puerto Príncipe. Algunas cosas las tengo presentes porque ya había aprendido a escribir y las iba apuntando en cualquier papelazo que encontraba, para después relatarlas por carta. Íbamos agotados por tanto andar, a causa del peso en las mochilas, el calor que te aplanaba, las botas que te rozaban los pies y te hacían sangrar. Esa sangre que, mezclada con el sudor y el polvo, formaba un pegamento que te impedía quitártelas, al menos yo no me pude quitar las botas hasta que ellas solas se cayeron a pedazos.

Pues ese día tan penoso fue cuando empezó a atacar el telele a González. Le agarraron los temblores y no había quien le hiciera dar ni un paso más, ni siquiera el sargento que lo amenazaba con el cinturón. Pero él no reaccionaba. El sargento nos ordenó al bizco y a mí que nos pusiéramos al lado de González y lo arrastráramos. El muchacho estaba tan mal que ni siquiera se podía sujetar a nuestros hombros, fue un rato angustioso porque, si no podíamos tirar de nuestro cuerpo, ¿cómo podríamos tirar de nuestro compañero? Se puso a llover a cántaros y, con el barro, los pies pesaban un quintal. Total que, como lo que no se puede, no se puede, tuvimos que rendirnos y cargar a González en el carro de los enfermos. Y como la esperanza es lo último que se pierde, yo creía que mi amigo no tenía ningún mal importante, que su cansancio era superior al de los demás y que, una vez descansado, volvería a ser el hombre brioso de siempre. Pero los temblores aumentaron, lo mismo que el pajizo de la cara y, a ratos, perdía el conocimiento. El teniente no tuvo más remedio que enviarlo a eso que llamaban hospital. Yo me arriesgué a más palos y supliqué al oficial que lo dejaran un poco más de tiempo entre nosotros, que meterlo en la enfermería era como darle la llave para que entrara en el otro mundo, pero no me hicieron caso. El único consuelo que tuve fue poder acompañarlo en sus últimos momentos en este valle de lágrimas. A causa de la lluvia, los jefes acordaron acampar en un batey y esperar a que escampara. En medio de aquel pueblecito de chozas había una construcción de adobes donde depositaron a los moribundos. Desde luego, aquel pequeño edificio no podía dar posada a tanto enfermo, y eso que no había camas, los aquejados se hallaban tumbados en el suelo, tocándose los unos a los otros; el que tenía más suerte yacía sobre una manta. Al no haber pasillos entre un enfermo y otro, habías de ir saltando por encima de los cuerpos y, a veces, los pisabas. No veas las asuras que pasé yo en los últimos días de vida de González, le sostuve la mano y él no me soltó en ningún momento. Fíjate si yo, en la vida civil, estaba acostumbrado a dormir con los animales y eso, pero el trato que recibían en aquel sanatorio las personas, a mí me parecía peor que el que recibían las bestias.

***

16 / 6 / 2001

Basi, ¿sigues ahí?:

Dispongo de una serie de documentos que te pueden ser útiles, aunque en estos momentos no los tengo precisamente a mano. Son los contratos, actas de liberación, partidas de bautismo de los esclavos y otras cosas sabrosas que te gustarán. Te prometo que cuando tenga un momento de respiro, los fotocopiaré y te los enviaré.

A veces te pones en plan moscón de cortejo y casi te haces insoportable. Si no fuera porque aprecio en ti otras cualidades, que las tienes, ya hace tiempo que hubiera dejado de hacerte caso. A pesar de todo, tengo un compromiso contigo y, aunque me enfade, seguiré cumpliendo con enviarte documentación.

***

"El soldado de reemplazo sólo tenía que ser alimentado y vestido mientras viviera, porque no tenía derecho a pensión, en caso de muerte o mutilación." (Del diario Pueblo de Valencia).

***

23 / 6 / 2001

Buenas tardes, Evangelina:

Vinculado al caso de Luz, quiero anunciarte que ha vuelto a ponerse en contacto conmigo, vía correo electrónico. Me sigue suministrando información sobre mi abuelo. Me habla de algunos hechos que le acaecieron en Cuba y de los cuales yo no tenía conocimiento. Ya te contaré ampliamente cuando nos veamos. Por cierto, a ver si es pronto.

Hablando de miedos a afrontar la verdad, yo también tengo que reprocharte a ti que no quieras ver lo que nos está pasando. Pienso que tú, al igual que yo, sientes algo más que amistad por mí.

***

Valdepeñas, 29 de mayo de 1956

Redacción:

Sepa usted, don Esteban, que a aquellos soldados, muchos ignorantes, las olas, los temporales y otros fenómenos de la naturaleza que nunca habían observado, les producían espanto. Era Basilio el que supo sobreponerse y dar ánimos a todos los compañeros. Incluso había mandos que iban a cobijarse en él. A mi abuelo no le pasó igual que a otros paletos que, cuando vieron el primer coche en Santiago de Cuba, pensaron que era una máquina infernal, arrastrada por el fuego del diablo. Tampoco se espantó cuando se tuvo que hacer la primera fotografía en grupo de su sección. Otros salieron corriendo, incluso alguno se desmayó, por la impresión que causó el fogonazo del magnesio. Tampoco hizo espantos al contemplar por primera vez, en una noche oscura, la iluminación resplandeciente de los faros de la trocha. En todas estas novedades tuvo que confortar a sus compañeros timoratos. Era todo nuevo, para bien y para mal. Y una cosa era lo que se decía aquí, en la Península, y otra muy distinta es lo que pasaba allí. Aquí nunca se había hablado de hambres, enfermedades o grandes caminatas. Nos habían dicho que allí encontraríamos mulatas cariñosas con las que lo íbamos a pasar tan ricamente. Que eso de la guerra no iba más allá de unas maniobras como las que habíamos hecho en los cuarteles, ya que no había enemigo a nuestra altura. No teníamos por qué preocuparnos por cuatro salvajes que se asustan al sentir el primer tiro. Que esos enemigos no tenían armas de fuego y nunca se iban a acercar a nosotros. Nos aseguraban que debíamos estar contentos al embarcarnos en dirección al paraíso, cuando en realidad, al poner el pie en el barco, ya habíamos dado el primer paso hacia el infierno. Los enemigos no eran tan ignorantes ni tan espantadizos como nos los habían pintado. Ni siquiera, creo yo, que intentaran eliminar a todos los blancos.

***

—¿Por qué dice usted eso, abuelo?

—Porque aquí nos habían vendido que era una sublevación de negros contra los blancos, como había pasado en otras islas cercanas a Cuba, en donde no habían dejado un blanco vivo. No sé si eso se corresponde con la realidad. Ni los negros era tan salvajes ni el bando enemigo era sólo de negros. Había blancos, mulatos y de todas las especies. Y tampoco nos querían tan mal a los españoles. Te voy a contar lo que nos pasó en un poblado, no muy lejos de Camagüey. Pues llegamos, nos instalamos como pudimos en aquellas chozas que llamaban bohíos y nos dispusimos a descansar durante unos días. No era costumbre pasar a los bateys porque resultaban muy traicioneros. Decían que estaban llenos de espías que le contaban al enemigo todos nuestros movimientos y por dónde se movía el grueso de nuestras columnas. Pero en ese poblado, no sé por qué, pasamos. ¡Cosas de los jefes! También pudo ser porque los hombres estábamos tan agotados que no dábamos para más. Lo que te cuento pasó en el tiempo de Martínez Campos, cuando los campesinos cubanos aún podían permanecer en el campo. Como te digo, cuando nos instalamos en ese batey, pudimos darnos unos días de holganza y hasta llenar un poco la barriga, pues se nos permitió arrasar con todos los víveres que encontrásemos. Desde luego, poco pudimos encontrar, debido a que era gente muy pobre, pero algo era algo. Además, las personas tenían un carácter generoso y nos ofrecían lo que podían. Se portaron bien con nosotros. Es más, nos convidaron a sus fiestas, que coincidieron con nuestra estancia. Y lo más chocante fue que en esas fiestas participamos tanto los soldados españoles como los guerrilleros enemigos; cada uno sabía quién era el otro, pero no surgieron líos. Allí todos teníamos la misma finalidad: comer, beber, descansar, divertirnos, bailar con las muchachas de piel café con leche. Y por primera vez pude mezclarme con negros. No los vi tan salvajes como me habían contado en España. La gente, tenga la piel como la tenga, es igual en todas partes. En lo único que piensa es en poder sacar el pellejo adelante cada día y con la cara alta, si es posible. Blancos o negros, de un bando u otro, en lo único que pensábamos era en disfrutar de los momentos que nos estaban brindando las circunstancias. Naturalmente que, cuando se pone por medio el alcohol, surgen las peleas. Pero no se entablaron entre un bando y otro, sino entre dos compañeros míos. Por poco se matan disputándose a la misma mujer. ¡Cosas de hombres! Ya lo comprenderás tú cuando seas mayor.

—¿Es que allí también le daban vino?

—No, no, niño. Eso es lo malo, que se tomaba aguardiente, ron le llamaban allí y lo hacían como si fuera vino. Las borracheras estaban aseguradas, con un poco de ese aguardiente ya estabas borracho. Y esos compañeros míos de los que te hablo se ve que perdieron la cabeza por una mulata con ojos alegres que les prometía la gloria. Hasta sacaron las navajas. Si no hubiera intervenido un sargento, habría corrido la sangre. El mando arrestó a los dos, encerrándolos en sendos bohíos hasta que se les pasó la borrachera. Menos mal que la trifulca fue entre dos de los nuestros y no entre enemigos. Hubiéramos acabado escabechándonos los unos a los otros, sin un superior que nos pudiera poner orden. Es que el chisparse es muy malo, niño, que no se te ocurra a ti nunca empinar el codo. Cuando el alcohol se sube a la cabeza, hace a las personas perder el control. Los años me han dado mucha experiencia y he visto que los hombres, cuando beben dos copas de más, hacen bestialidades de las que a lo mejor se arrepienten toda la vida. En aquel batey del que te estoy hablando, en el que la gente se había portado tan bien con nosotros, en donde se debía estar tan agradecido, no debió pasar lo que pasó. Desde luego, los abusos los cometieron no más de siete u ocho soldados, pero todos quedamos malísimamente. ¡Esos sí que hubieran merecido el castigo! Creo que el sargento Heredia no dio parte a los superiores porque él también estaba implicado, siempre se las daba de chulo y echado p´alante, se justificaba diciendo: "A esta gente de los poblados hay que darles en la cresta. Hay que dejarlos atemorizados para que sepan con quien se están jugando los cuartos". "Mi sargento, a lo mejor esta gente es inocente". "No hay batey inocente. Cada pueblucho de éstos está plagado de espías al servicio del enemigo. ¿No os habéis dado cuenta de que estaban dando cobijo a los que luchan contra nosotros?" "Pero también nos lo han dado a nosotros". "Eran las fiestas y es lógico que acudiera allí todo el que quisiera divertirse. ¿Y qué? Finalmente el castigo ha sido menor, no ha pasado de una bromilla. Ya veis que el poblado ha quedado entero, no se les ha prendido fuego, como a otros donde se sospechaba que había traidores".

—Abuelo, ¿qué quería decir el sargento con lo del fuego?

—Niño, nos mandaban a hacer luminarias en muchas de esas poblaciones como castigo porque decían que ahí habitaban informadores del enemigo. A muchos había que quemarlos como medida de precaución. A mí no me hacía gracia ese estilo de hacer las cosas, pero en el Ejército tienes que hacer lo que te mandan. ¡Y más si es en guerra! Había otros compañeros muy bordes que siempre salían voluntarios para agarrar la tea. No veas cómo se reían cuando las gentes, ancianos y niños incluidos, salían huyendo del fuego. "¡Mirad cómo saltan, que parecen liebres!", se divertían los crueles. Eso no estaba nada bien. Si había que castigarlos, se castigaban, pero no alegrarse de ello encima. Dios te puede mandar un escarmiento por una cosa así. Que no había por qué volverse un salvaje sin sentimientos. Además, que no todo el mundo podía salir corriendo, huyendo de la quema. Más de una desgracia ocurrió en esos fuegos.

—¿Y cómo acabó la cosa?

—Una vez que se acabaron los bailes en la plaza, unos cuantos colegas, en vez de irse a dormir la borrachera como hicimos los demás, organizaron una batida y se pusieron a cazar a todas las mujeres guapas, casadas o solteras, jóvenes o maduras. Como muchas de las casadas dormían con el marido, tuvieron que aterrorizar a muchos hombres del poblado, bien apaleándolos, bien encerrándolos a punta de fusil en una especie de edificio de adobe al que llamaban ayuntamiento. Y, mientras tanto, los borrachines se llevaron a las mujeres al bosque para gozar de ellas. Eran cosas que a mí me daban vergüenza. Con lo bien que hubiéramos podido salir del poblado, habiendo dejado allí a tantos amigos.

***

30 / 6 / 2001

Querido Basi:

Si te digo la verdad, no es que me caigas antipático o me seas repelente. Sin embargo, cada uno es dueño de sus complejos, sus miedos e incluso de sus intuiciones… Ya sabes que estoy muy tranquila en el estado en que vivo. Por nada del mundo quisiera cambiarlo.

Es interesante lo que me cuentas de tu abuelo. Aunque no quieras aceptarlo, esos toques de egoísmo son los que lo humanizan; los que lo hacen bajar del pedestal en que lo tenías aupado y ponerlo al nivel de una persona normal, con las circunstancias que entonces lo envolvían. Y entre esas circunstancias, has de contar con que era un soldado invasor con derecho (aunque fuese mínimo dentro de la escala) a coger todo lo que se pusiera a mano. ¡Ojalá que yo tuviera a alguien que me suministrara los datos que a ti te proporciona tu corresponsal! Ya me encargaría yo de dilucidar si eran ciertos o no. Por lo menos tendría una pista.

***

"Está intrometiéndose el populacho americano". "España no se apartará de esta línea, suceda lo que suceda". (Declaraciones de Cánovas al HERALDO DE MADRID).

"Los Estados Unidos necesitan un Ejército y una escuadra poderosos y a mí me parece que no se han de lanzar por ese camino, a favor de los negros de Cuba". "Si llegaran a inclinarse los Estados Unidos, a favor de los negros de Cuba, sabríamos hacer respetar nuestros derechos y contemplar el provenir con tanta intrepidez como sangre fría. Creo que, en este punto, España es unánime y no tolerará ninguna concesión, ninguna debilidad, ninguna abdicación." (Declaraciones de Cánovas a THE JOURNAL).

***

2 / 7 / 2001

Buenas noches, querida amiga:

Al estar hoy muy atareado, todavía no había tenido ocasión de ponerme en contacto contigo. Como no me gusta dejar tanto tiempo sin dirigirte unas palabras, te escribo a estas altas horas de la noche. Tenía la tentación de llamarte por teléfono, pero me he aguantado: además de que me podrías tratar de loco, te iba a dar un buen susto, al tener que sacarte de la cama. A ver si te decides de una vez y podemos vivir juntos para poder hablarnos, en el momento oportuno, cuando nos venga en gana.

Esta vez creo que voy a conocer definitivamente a mi comunicante. Para que no haya equívocos ni chascos, he citado a la chica en mi casa. Es la única garantía que me ha pedido para que pudiéramos encontrarnos. Y, aunque me estoy arrepintiendo por admitir a una persona extraña en mi casa, he accedido a sus deseos. Ya te contaré.

***

—Con lo de los mandos, sobre todo los oficiales, se había de tener mucho miramiento, no podías contradecirlos. Aquí conservo este retrato de entonces. Si miras las botas, parece que aún están enteras y relucientes, como para que pusieran contentos cuando nos pasaban revista. Luego, el calzado se fue deshaciendo hasta quedar en pedazos, no sin antes haberme causado grandes tormentos. Para entonces ya no nos pasaban revista, porque no se hubieran llevado más que disgustos. No se puede decir qué era peor, si andar con ese calzado, con alpargatas o descalzo. Las botas te producían rozaduras y sangrabas, ibas mal... Las alpargatas eran un desastre, se mojaban, el barro se pegaba a la tela, dejaban pasar los bichos de la manigua que causaban enfermedades. Para colmo, había un bichejo mucho más pequeño que una pulga, que se te metía en el pellejo cuando tú no te dabas cuenta y allí, dentro de la piel, hacía su nido. La cría se iba extendiendo por todo el cuerpo con mucha rapidez produciéndote heridas y pus. Cuanto más se rascaba uno, más pupas y más porquería se producían. Al mismo teniente Cuenca, que más de una paliza me dio cuando le hacía de asistente, le pasó eso. Mira que todos pisábamos por los mismos sitios pero unos teníamos suerte y otros desgracia. A lo mejor era porque a mi madre y a mi hermana nunca se les olvidó rezar por mí. O que yo calzara unas alpargatas especiales, inventadas por mí, que había protegido con hojas y pegado con barro. Por las noches, también ponía hojas para que mi pellejo no tocara el suelo. Y mira tú, tuve suerte con bichejos y enfermedades.

—¿Y qué le ocurrió al teniente ese?

Ya te digo, pasó unos días rabiando con la enfermedad, lo

mismo que otros muchos compañeros. Pero al teniente, por su rango, lo dieron de baja y lo mandaron para la península, cosa que no pasaba con los soldados. Esa fue la suerte que tuvo él, que la mía fue librarme de sus malos tratos; porque la enfermedad no era de las más graves, dependía de la suerte. A uno que conocía yo, los nidos del bichejo le gangrenaron la pierna y se la tuvieron que cortar: un lisiado más que tendría que ir pidiendo caridad para el resto de su vida. En cambio, al cabo Remeca se le infectó todo el cuerpo y murió de eso. Que además, la fortuna que tenías en la guerra dependía también de la cuna en donde hubieras nacido. Al teniente Cuenca lo repatriaron y se pudo curar en un buen sanatorio. Y puede que fuese de pago y todo. Ese hombre, además de chulo y presumido, es que tenía mala leche. Y no lo digo por las palizas que me pegaba, es que le gustaba causar envidia a todos los de su alrededor. ¡A quién se le ocurre, sino a él, escribirnos a la compañía, por medio del sargento Agudo, para darnos dentera, contándonos la vida que se estaba pegando en España? Que si había asistido al baile de carnaval del casino de su ciudad. Que si había ido a los toros. Y nos daba pelos y señales del triunfo de Guerrita o de Machaquito. Que tenía entradas para ver al Algabeño, Lagartijo y El Gallo. Cosa de darnos envidia y ponernos de mala leche sin necesidad. Yo, qué lastima, nunca había ido a los toros y nunca se me hubiera pasado por la cabeza ir. Lo que no se puede, no se puede. No me iba a gastar los jornales de medio mes para ir a los toros. Uno se conforma con lo que tiene y no pide la luna. Pero el teniente Cuenca, venga a jodernos, contándonos de las muchas medallas que había conseguido como consecuencia de su enfermedad y de los banquetes a los que asistía. ¿Tiene eso sentido, cuando sabía que algunos de nosotros estábamos rabiando de hambre?

***

3 / 7 / 2001

Buenos días, Basi:

Efectivamente, no he leído tu mensaje hasta esta mañana. Anoche estaba rendida y me fui a la cama pronto. Es interesante todo lo que vas descubriendo de tu abuelo, aunque veo que te niegas a aceptar lo que te comunica esa chica. Por cierto, ¿has tenido ya ese encuentro con ella?

Desde luego, durante mucho tiempo yo también me negué a considerar que mi abuelo, el ídolo Sorozábal, hubiera cometido irregularidades que lo desviaran del concepto de hombre honrado que yo tenía de él. Lo de ir ascendiendo en el Ejército español a base de tenacidad lo consideraba una progresión lógica, dentro del ideal de vida que se había forjado. No es que estuviera de acuerdo con las exageraciones de hechos osados que le atribuían. Desde muy joven supe que eso formaba parte de la leyenda necesaria para proclamar a un héroe; con lo que no contaba era que tuviera en su haber acciones que me parecen hoy execrables. Quedé sorprendida al ir descubriendo las andanzas de mi abuelo aunque mi familia hablara de él como un hombre extraordianrio. Con mis pesquisas descubrí que era un autoritario y que pocas personas se atrevían a oponerse a su voluntad. Lo que él decía era la santa palabra; tenía anonadados a mi abuela y también a sus hijos. ¡Menos mal que murió relativamente joven y dejó a los suyos en paz!

Nunca supe de qué murió exactamente. Pero por los síntomas que padecía, según cuenta mi madre, debió ser una enfermedad venérea contraída en alguna de sus aventuras carnales. Como comprenderás, a estas alturas, cuando ya no existen testigos directos que me cuenten las intimidades de Rogelio

Sorozábal, es casi imposible averiguar si es cierto que llevó una vida próxima a la de un crápula, pero existen muchas probabilidades de que así fuera.

Tanto mi madre como mis tíos cultivaban con pasión la leyenda del superhombre y no dejaban que nada empañase esa fábula. Incluso yo estaba imbuida de ese espíritu de adoración y no era capaz de atar cabos, agarrándome a las esporádicas quejas de mi madre sobre su padre. "¡Tenías que haber tenido tú un padre como el mío, que no nos dejaba asomar la cara a la calle a las mujeres!". "No puedes imaginarte lo que sufrió la abuela con la enfermedad del abuelo, cuando le tenía que curar sus partes más íntimas y él se enfadaba porque ella le hacía daño". "Mi padre, cuando nos miraba, con esos ojos de fuego que ponía, ya era para echarse a temblar".

***

"Exaltados patriotas en manifestación pro guerra llegaron al cuartel de Galeano, en Bilbao, pidiendo a la banda militar que tocara la marcha de Cádiz. Querían aumentar más su fervor. El capitán de guardia se negó a la petición e invitó a los patriotas a que entraran en el cuartel y se enrolaran voluntarios para la guerra. Ninguno lo hizo."

"Para sufragar los gastos de guerra, se emitieron bonos del Estado que fueron acaparados por los rentistas. Estos hicieron un buen negocio. Las clases populares criticaron mucho esa actitud de las clases pudientes."

***

10 / 7 / 2001

Querida amiga:

Efectivamente, me he entrevistado con Luz, la chica de la que tanto hemos hablado. Pero no acaban las sorpresas que recibo de ella. Imagínate con qué me ha salido. Nada menos que también ella es descendiente de mi abuelo. Que pertenece a la familia cubana que él dejó allí. ¿Te imaginas? Seguiré informándote.

***

—¿Por qué dice usted que lo de los oficiales era una jaula de grillos?

—Porque había ciento y la madre. ¿Para qué queríamos tantos? Para estorbo porque unos mandaban una cosa y otros la contraria. Un montón de veces nos pasó eso. Y mira lo que nos ocurrió un día. Mientras marchábamos, el enemigo empezó a hostigarnos. Aparecieron de repente, como una exhalación, montados en sus caballos, sin darnos tiempo a reaccionar. Herían con sus machetes al que tenía la mala suerte de pillar por delante, fuera en un brazo, en una pierna o en el pescuezo. ¡Donde fuera! Después salían huyendo con sus rápidos caballos, como alma que lleva el Diablo. Y al pobre compañero que le había tocado la mala suerte, le había tocado y no había más tu tía. Al enemigo, también le tocaba sufrir algunas bajas, pero las menos. Hay que reconocer que los mambises eran arrojados, pero aún así, cuando se retiraban, antes de ocultarse en la maraña, a algún compañero le daba tiempo a encararse el máuser, disparar y tocar a un enemigo.

Como te iba contando, ese día, antes de atacarnos, los vimos venir y nos dio tiempo a rechazarlos. No se atrevieron a atacarnos y se dieron media vuelta. Entonces, el capitán Contreras mando perseguirlos. "Hasta que los eliminemos a todos. Esta vez va a ser fácil porque podemos rodearlos en el pequeño bosquecillo en que se han escondido. Unos nos meteremos entre la arboleda y otros los rodearemos para que no tengan posibilidad de escapar". Mientras tanto, los otros dos capitanes de la misma compañía, que no estaban de acuerdo con la táctica del primero, se pusieron a descansar en un refugio y se dedicaron a la observación. Nosotros, dirigidos por el capitán Contreras, nos afanábamos en la persecución del enemigo. Fue uno de los días más peligrosos en lo que se refiere a batallas. Los mambises, acostumbrados al , se escabullían entre el ramaje y trepaban los árboles como monos. Con la espesura del follaje, no había quien los columbrara. En cambio, ellos sí que nos veían a nosotros y podían descender del árbol con agilidad y matarnos, o al menos herirnos, sin que nos diéramos cuenta. De esta manera cayeron veinte de los nuestros, entre ellos el capitán Contreras, al que se hubo de retirar a la manigua sangrando, con una herida que le llegaba del cuello a la espalda. Yo tuve suerte, no creas, a mí no me lastimaron porque hice uso de mi prudencia y del conocimiento que tenía del campo. Me paré en un sitio donde el follaje me ocultaba incluso de los que estaban encaramados en los árboles. Hay que saber protegerse, niño, en toda circunstancia. Los que obedecieron ciegamente y se adelantaron en aquella breña quedaron atrapados como en una telaraña y ni siquiera pudieron volver al escampado cuando el capitán herido dio la orden de retirada. Pobres incautos. De algunos nunca más se supo. A mí no me pasó eso. Si nadie me controlaba, ¿para qué iba a meter más la pata dentro de esa trampa? Más valía quedarse en la orilla, en donde tenía la posibilidad de retroceder. No me mires así que, con esas cosas de héroes y todas esas mandangas que te traes entre manos, seguro que estás pensando que lo que hice no es de templados. Compréndeme, niño. No se puede ser valiente a tontas y a locas, sino cuando la ocasión lo requiera. A mí, en aquel momento, me pareció que lo que hacíamos era una locura y nada más.

—Pero, abuelo, la efectividad de un Ejército se basa en seguir ciegamente las ordenes...

—¿Qué órdenes?, ¿las del capitán Contreras, que nos ordenaba perseguir a los mambises?, ¿las del capitán Oswaldo, que nos dictaba retirarnos? o ¿las del capitán Salcedo, que quería permanecer en la linde de la manigua, rodeándola? No, niño, no sacaba nada metiéndome en la emboscada segura que nos había tendido el enemigo. Total, fracasado el plan del capitán Contreras, el capitán Oswaldo propuso la retirada. "Volvamos a un sitio tranquilo en donde podamos hacer recuento de nuestras bajas y rehacernos nosotros", dijo. Pero el capitán Salcedo no estuvo de acuerdo. "¿Cómo vamos a dejar abandonados a los hombres que aún están dentro del bosque?", le contestó. "¿Y qué propones que hagamos?" "Pues esperar, sin levantar el sitio". "Ni hablar. Este lugar es peligroso y podemos ser víctimas del ataque de las fuerzas de Maceo, que no andan lejos y pueden acabar con todos nosotros. Más vale que nos retiremos a marchas forzadas, ¿no ves que estamos dentro de una ratonera?" Niño, con tantos jefes que nos mandaban, no nos daban ningún beneficio, porque no se entendían entre ellos. Muchas veces, entre los del mismo grado, echaban mano de su antigüedad, pero no siempre lo aceptaban los más nuevos y eso era motivo de discordia. Y no para ahí la cosa; es que algunos oficiales ya eran un peligro para nosotros.

—¿Por qué?

—Porque algunos de los que iban voluntarios a la guerra llevaban sus cálculos entre manos. Querían mostrar que eran valientes para ganar alguna medalla que les abriera las puertas del futuro. Ahí tienes, por ejemplo, el caso del capitán Contreras. Su acción le valió un reconocimiento y la repatriación sin demoras.

—¿Y cómo es que está usted enterado de eso?

—Como fui correo, quieras que no, me enteraba de las conversaciones de los jefes y de sus tejemanejes. Pues que hubo un pique entre esos tres capitanes; fue al mes o así, de los sucesos de la manigua que te acabo de contar. Un día me comunicó un sargento que debía presentarme en la comandancia porque tenía que ir a declarar como testigo en el caso del capitán Contreras. En la oficina me darían instrucciones para el traslado a Santa Clara. Me eligieron a mí y a cuatro compañeros más para aclarar cómo se había desarrollado la batalla en la que Contreras había sido herido. Nosotros, los soldados, estuvimos contentos porque así nos librábamos de aquellas marchas revientahombres, pero también con la esperanza de que alguna pitanza nos cayera en el estómago. Total, que nos fuimos a Santa Clara, bien caballericos, en un carro de bueyes. Así nos libramos durante un mes de la mala vida de campaña.

A lo que íbamos; por todos los papeles que nos leyeron en la comandancia de Santa Clara, en el caso del capitán Contreras, había opiniones encontradas entre el candidato a figura por una parte y los otros dos capitanes, al unísono, por otra. El capitán Contreras reclamaba haber hecho una cosa valiente porque se había adentrado en el bosque a la cabeza de sus hombres, en vistas de perseguir y destruir al enemigo. "Que era necesario hacerlo porque hacía muchas jornadas que nos venía soliviantando y no nos dejaba vivir tranquilos, además de producirnos bajas sin cesar. Que no era cosa de desaprovechar la ocasión. Que había tenido la victoria al alcance de su mano. Que veía que se estaba jugando la vida, con muchas papeletas en contra, pero que él nunca había dejado de cumplir con su deber, costara lo que costara. Que, teniendo en cuenta la importancia de su hazaña, solicitaba se pusiera en marcha el expediente que le llevara a la concesión de la medalla tal y tal y al ascenso en el escalafón por méritos de guerra". Y ahí estuvo el intríngulis de la cosa porque, como te digo, los otros dos capitanes no estuvieron de acuerdo. Fíjate que por todos lados anda rondando la envidia. "No hay tal hazaña porque ha puesto en peligro a nuestros hombres sin necesidad. Hizo el juego al enemigo y se dejó llevar a una trampa", manifestaba Oswaldo. "No tuvo en cuenta la elemental prudencia, poniendo en peligro la vida de nuestros hombres, acaso con las miras de un lucimiento personal", declaraba Salcedo. Todas esas afirmaciones las hacían por escrito; no quiero ni imaginar si las hubieran hecho personalmente, la de tiros que se hubieran dado entre ellos. Contreras se defendía, dando pie a un debate inagotable. "No se me pasó por la cabeza ningún cálculo egoísta. Antes al contrario, me dejé llevar por los sentimientos más altos". "La prueba de que el capitán Contreras actuó por puro egoísmo es que ahora solicita medallas y ascensos. Quiere sacar provecho de su supuesta generosidad". "Mentira. Una cosa es que el acto fuera generoso en su momento y otra es que ahora reclame lo que se me debe en justicia. En el tiempo en que estaba en juego el cumplimiento de mi deber, no pensé en nada sino en consumar la tarea que se me había encomendado". "Las acciones suicidas no son más que eso. No se las puede adornar con cumplimientos de deber ni zarandajas de ninguna clase".

Ya ves, niño. Esas eran las posturas de uno y de los otros. Y nosotros, los soldados, en el compromiso de decantarnos por uno u otro bando, con el consecuente perjuicio que acarreaba quedar enemistados con uno de ellos. Total que, por mi parte, me tuve que hacer el tonto. "Yo no sé nada. En realidad, seguía las órdenes del sargento. No entiendo de tácticas ni de estrategias. Los jefes sabrán. A mí me ordenaron que me metiera en la manigua persiguiendo al enemigo y así lo hice. No sé de las discusiones entre oficiales porque a mí no me afectaba eso". Cuando me preguntaron si yo creía que el capitán Contreras se estaba jugando la vida para conquistar una posición, respondí como pude. "Mi coronel, no se lo puedo afirmar a usía con claridad. Cuando se está dentro de la batalla, no se puede apreciar lo que pasa alrededor". Más o menos, así fue la cosa. No te puedo aclarar en qué acabo el asunto. Volvimos a nuestra columna y del capitán Contreras nunca más volví a tener noticias. Lo que me jodía era apreciar que de los soldados rasos no se ocupaba nadie. A mi corto entender, si el capitán se merecía tantas alabanzas y distinciones, algunas migajas mereceríamos los que lo habíamos acompañado. Sobre todo, los que murieron en la trampa y no recibieron ninguna recompensa.

***

24 / 7 / 2001

Hola, Basi:

Perdona por no haber tenido contacto contigo en varios días. Ya sabes que, cuando te hallas metida de lleno en un congreso, no te da tiempo ni a tomarte un café. Ahora ya dispongo de algunos ratos libres. Merezco un descanso y, si a ti te apetece, podemos pasar juntos todo el domingo. Tenemos

EMILIO VIVAR | 139

mucho de qué conversar. Sigo hablándote de mis antiguos sentimientos; es un juego en el que los dos estamos metidos y al que no podemos renunciar:

Bajar a Sorozábal de su peana ocurrió cuando yo era acérrima militante izquierdista, ya te lo he contado otras veces. Entonces tuve la certidumbre, hice mis investigaciones al respecto, de que era la persona déspota que ya te he dibujado. Inclusive en nuestro pueblo quería mandar a pesar de no ostentar ninguna autoridad oficial para hacerlo. Yo también recuerdo la anécdota de cómo obligó a un pobre hombre a arrodillarse cuando pasaba el Viático, aquella que muestra la redacción de mi hermano. En casa lo contaban como una de sus hazañas pero yo lo llegué a ver luego como un rasgo de su caciquismo. ¿Quién autorizó a Sorozábal a liarse a bastonazos con un ser que no se comportaba debidamente según su punto de vista? En lo concerniente a la defensa de la criada de don Anastasio, fue otra de sus machadas y una hipocresía; deduzco que si Rogelio no apaleaba a sus mujeres, era porque éstas se sometían totalmente a su voluntad sin rechistar.

Te repito que fue durante una época de mi vida cuando sentí ese rencor hacia él. Ahora, con los años, me he serenado y lo veo con cierta comprensión. Creo que se agarró siempre a la ferocidad como forma de supervivencia. Eso no quita que los que estaban a su alrededor sufrieran sus consecuencias.

***

"Algunos historiadores contemporáneos aseguran que el Gobierno Español sabía que la independencia de Cuba era inevitable, pero que había que justificar la pérdida con una derrota para evitar la tensión con la opinión pública y así conservar la Corona. A pesar de esta opinión, se proclamaba: `hasta el último hombre, hasta la última peseta´."

"Se calcula que murieron unos sesenta mil hombres, casi todos por enfermedades."

***

2 / 8 / 2001

Querida Evangelina:
Gracias por todo lo que me diste el domingo. No sé cómo expresarlo. Para mí fue como llegar a la meca con la que he estado delirando toda la vida. Fue maravilloso poder lograr tu entrega plena después de soñarla eternamente. No tengas recelo, eres en la realidad tal y como yo te había visto siempre en mi mente. ¿Fue para ti también algo extraordinario? Por favor, dime que sí. Por mi parte, te prometo que nunca te decepcionaré.

Tienes razón. No debemos mezclar las churras con las merinas. Estoy metido dentro del proyecto de Culturalia, bajo tu magisterio, y me son imprescindibles todas las aclaraciones, informaciones, fichas y comentarios que me envías. No sé cómo podríamos hacer para no mezclar el amor con el trabajo. ¿Qué te parece si usamos correos distintos para una u otra cosa? Porque, aunque podamos decirnos oralmente lo que queramos, ya me he acostumbrado a los correos y me expreso más libremente en ellos.

Ya sabes que mis encuentros con Luz se van haciendo habituales. A ver si te la presento y tú puedes echarme una mano para indagar cuáles son sus intenciones. Por lo pronto, me dice que no pretende nada más que encontrar a la otra línea de la familia Xantal. Se alegró mucho al descubrir mis artículos de Culturalia y por eso quiso ponerse en contacto conmigo, porque los dos somos ramas del mismo tronco: mi abuelo. Hace aproximadamente un año que permanece como inmigrante en España. Hasta ahora ha ido viviendo a salto de mata, cuidando enfermos e impedidos, de una manera particular, aunque posea la licenciatura de medicina y la especialidad de digestivo. Está intentando integrarse en el sistema sanitario español. Por lo pronto no me ha pedido nada aunque, como es natural, si está en mi mano, procuraré ayudarla cuanto pueda para que consiga sus propósitos.

***

—Abuelo, ¿cómo era la vida de los oficiales? Por lo que me cuenta, veo que tenían más oportunidades de realizar actos heroicos que ustedes, los soldados. El quinto, por lo que se ve, tenía pocas ocasiones, sometido como estaba a la disciplina del mando. Pero hay algún que otro soldado que dejó constancia de su heroicidad, como Eloy Gonzalo, el héroe de Cascorro que supo destacar por encima de sus jefes y hasta puede ser que los hiciera de menos. "Uno puede destacar en cualquier escalón de la vida en que lo haya puesto la Providencia. Hay múltiples ejemplos de simples soldados héroes. Ahí tenéis al de Cascorro", nos dice así Don Esteban.

—No sé quién es ese Cascorro ni a qué se dedicaba, niño. Sólo sé que cuanto más alto está uno en la vida, más prerrogativas tiene y menos le cuesta sacar el pellejo adelante. No tengo que ir muy largo para eso, lo puedo apreciar en mí mismo. Por eso, desde que aprendí a leer, busco en cualquier libro que me caiga en las manos, algo de lo que antes era ignorante. Cuando mis hijos iban a la escuela, yo me estudiaba sus libros con el afán de aprender. Lo hacía a escondidas, porque me daba un no sé qué, pero lo hacía. Lo mismo que ahora me entretengo con los tuyos, aunque mira si soy viejo. Siempre voy con la intención de descubrir los trucos de las personas que están por encima de mí. A ver por dónde va a venir el pie para que no me pise.

—Pero abuelo, ¡que se sale usted por la tangente! Yo quiero saber cómo era el comportamiento de los oficiales respecto a esa guerra y respecto a ustedes, los soldados. Don Esteban dice que los oficiales del Ejército Español, el mismo fue oficial, siempre han tenido un trato justo con el soldado, entre severo y amoroso, como lo tiene un padre con su hijo.

—¿Qué quieres que te diga? A pesar de los pesares, yo creo que no hay punto de comparación entre cómo me trató mi padre en la vida y el trato que recibí en el servicio militar, de cabo para arriba. Por lo menos, mi padre nunca me levantó la mano desde que me consideró un hombre. En el servicio, tanto en el cuartel de Madrid como en Cuba, por menos de nada, te levantaban la mano. No pasaba mucho tiempo sin que lo hicieran, para dejar claro quién mandaba allí. Si esperas que te hable bien de los jefes, te vas a llevar un desengaño porque no lo haré. Por lo pronto, que yo sepa, ninguno cayó enfermo de hambre o de cansancio como nos pasó a muchos de nosotros, los quintos. Que hubo temporadas que, más que personas, parecíamos espíritus andando por las nubes. Se te ponía una mala leche que para qué te cuento, cuando veíamos que los oficiales iban tan caballericos, en las marchas, mientras nosotros nos destrozábamos los pies y sudábamos la gota gorda. Y la boca hecha un desierto, sin poder regarla tan siquiera con una gota de agua. En cambio, los mandamases no pasaban tantas fatigas. Como tenían dinero, podían comprar la comida y la bebida que quisieran.

—¿Y toda la guerra lo pasó usted así de mal?

—Hombre, te diré. Unas veces íbamos mejor y otras peor, según las órdenes que recibiéramos de arriba. Que mandara uno u otro capitán general, no se notaba mucho en el trato que recibíamos. Con ninguno de ellos noté mejoras. La fatiga, el hambre y la sed no disminuyeron con ninguno. Si no hubiera sido porque alguna vez me favoreció la suerte, ¡a buenas horas iba a estar contándote yo todo esto! Por eso has de comprenderme. Cuando la vida te da tantas patadas, llegas a la conclusión de que si tú no miras por ti mismo, nadie lo va a hacer por ti. Si quieres que te diga la verdad, los oficiales estaban allí para jodernos y poco más. Mira como ellos no llegaron a probar nunca el rancho cuando lo había.

—¿Es que no había siempre?

—Ya te lo he contado muchas veces, niño, que no apuntas en la memoria lo que te digo. El arroz o los garbanzos con tocino lo había cuando lo había, que no era siempre. Además, como los cocineros no siempre podían guisar aquella pella echada a perder, nos la daban fría, cocinada hasta una semana antes. Como íbamos de marcha, era difícil guisar, bien porque no hubiera tiempo, bien porque llovía, bien porque nos hostigaba el enemigo y no se podía encender fuego para no denunciar nuestra presencia, cosas así. En cambio, hubo una temporada en que nos daban unas latas de carne que, cuando las abrías con el machete, te tiraban para atrás al darte en la nariz. No sé cómo podrían aguantar los gusanos que bullían por dentro. Si cerrabas los ojos y te atrevías a comer aquello, enseguida se te iban las pocas fuerzas que tenías, el vientre se te soltaba y no aguantaba nada, aunque te pusieras un corcho en el culo. Así es que no tiene nada de extraño que, cuando pasábamos por un maizal, hiciéramos acopio de panochas para comerlas como pudiéramos. A veces hasta crudas, que más de cuatro dientes se quedaron en el intento. También nos las arreglábamos para robar la miel a las abejas sin que éstas nos picaran. Además, las cañas dulces nos servían para engañar el estómago. Pero no nos duró mucho tiempo; pronto empezamos a notar que por cualquier sitio que pasábamos, todo estaba arrasado por el fuego y no se podía sacar ni un yerbajo que llevarse a la boca. Hubo una época en que nos tocó vigilar una hacienda de esas, ingenios las llamaban, para librarla del fuego de los mambises. Ahí, además de cañas de azúcar, cultivaban también tabaco, café y maíz, en una extensión tan grande que no te la podías recorrer a caballo en dos o tres días. Pues no te creas que noté mucha mejora en lo tocante a llenar la panza mientras realizábamos esta faena. No digo que no comiera con más regularidad que cuando andábamos de marcha, pero los soldados seguíamos comiendo nuestro rancho, un poquitín más variado, y durmiendo al raso. Por el día, pocas sombras teníamos en donde guarecernos; como te descuidaras, se te quedaba el pellejo como el de un pollo asado. Lo único bueno que había es que no tenía uno que andar tantas leguas aunque nos pasábamos el día recorriendo las tierras para cuidar que no las incendiara el enemigo. ¿Ves? En ese caso, lo de la sed casi lo teníamos solucionado porque podíamos beber de unos pilones preparados para abrevar a los animales.

Ya sabes por qué yo siempre he querido alejarte de la pobreza y de la ignorancia. Cuando estaba tan abajo, mira lo que me pasaba. A pasar fatigas y a reventarse si era menester. Los jefes, sin embargo, se refugiaban en los palacios aquellos, las haciendas quiero decir. Ellos disfrutaban de su buena sombrita, su fresquito, en donde no se iban a mojar con la lluvia ni con el relente de la noche. ¡A saber los manjares que se llevarían a la boca! ¡Mecagüen…! ¿Cómo quería el gobierno que ganáramos la guerra con aquella hambre que nos hacían pasar? Mira cómo el enemigo, que eran cuatro gatos y estaba mejor alimentado que nosotros, acabó por ganar.

—Abuelo, tenga usted en cuenta que les ayudaron los americanos yanquis.

—Será. Yo no te puedo discutir eso. Desde luego, no habría tantos yanquis de esos, pues a mí no me toco enfrentarme con ninguno. Si no hubiera sido por lo de caer prisionero, ni me hubiera enterado de que andaban por allí. Si acaso, periodistas de esos que se colaban por todas partes, pero esos no llevaban armas. Lo que te digo es que los mambises se hartaban de comer y podían tener más rendimiento en el trabajo. No veas cómo nos pusimos de comer un día en que asaltamos un campamento rebelde y nos hicimos con todos los víveres que ellos no pudieron llevar en su huida. Fue uno de esos días que se te queda escrito en la memoria. Fíjate que no me quedaron detalles del asalto, a lo mejor no fue una cosa fácil y puede que hasta pusiera en riesgo mi vida, pero me acuerdo perfectamente del placer que tuve al ver tanta comida junta: reses matadas y vivas, gorrinos, cabras, café, azúcar, maíz, hasta pan. ¡Cuánto tiempo hacía que no había probado el pan! Como es natural, todos nos lanzamos sobre aquellos alimentos como lobos. También me acuerdo de las consecuencias de aquel atracón, los retortijones de barriga y los sudores que me costó digerir todo aquello. Es que ya me había acostumbrado a no comer; hasta para lo bueno es necesario ir acostumbrando al cuerpo, poco a poco. Si le das un cambio brusco, estás jodido. Te pudo asegurar que, a lo mejor no nos sentó bien la comida esa, pero nadie nos pudo quitar el gustazo que nos dimos con aquel banquete.

—¿Y qué hicieron con tanta comida? Supongo que tendrían avío para una buena temporada. Claro que, si no se la comían rápido, se les echaría a perder.

—Por lo pronto, nos quedamos unos días en el campamento y consumimos parte de toda esa comida, la que se pudiera descomponer. Además, no sabíamos qué iba a pasar, pues había división de opiniones en los mandos: unos eran partidarios de apropiárnoslo todo para nuestra compañía y otros eran de la opinión de que había que repartir algo. Ya lo sabes, los unos se criticaban a los otros, si no se cumplía su orden. Los egoístas decían que no podían repartir habiendo tanta necesidad en nuestra compañía. Los "dadivosos" querían repartir pero con el fin de hacer méritos y ganar medallas. Los soldados, al ver cómo iban las cosas, empezamos a almacenar en nuestros zurrones lo que pudimos, no fuera a desaparecer de nuestra vista aquella oportunidad de llenar la andorga por unos días. Veo por tu cara que no apruebas nuestra acción. Las cosas no son como las encuentras en los tebeos que a ti tanto te gustan. Sí, yo también les he echado un vistazo para tener idea de a qué te refieres cuando me preguntas con esas palabras tan raras y lujosas sobre mi pasado. Tus guerreros de fantasía no beben, se alimentan del aire, no sufren heridas y, si las sufren, se curan milagrosamente. Me hubiera gustado verlos en situaciones como las que yo padecí. ¡A ver qué hubieran hecho! De los héroes y de los santos sólo se cuentan las cosas buenas, no las de atender a sus cuerpos cuando éstos más se lo piden. Nosotros sí teníamos que mirar por nosotros mismos, por eso llenamos nuestros macutos, para vengarnos un poco de los sufrimientos y de tanto ladrón que se aprovechaba de nosotros. En ese punto no lo sabíamos, pero tiempo después, en el barco de repatriación, se habló de todo y hubo quien dijo que muchos se habían forrado a costa de los soldados y sus necesidades. Hicimos bien en apropiarnos de los víveres, pero eso tampoco nos valió de mucho, porque el calor los echó a perder bien pronto, dando un pestazo que te tiraba para atrás. Lo único que nos faltaba era el tabaco, pero como yo no fumo, no me afectó demasiado.

—Por lo que deduzco, abuelo, volviendo a lo de la vigilancia de la hacienda, ¿estaba usted más tranquilo cuando vigilaba allí, o me equivoco?

—Si te digo la verdad, tampoco estuve muy tranquilo. El puesto que se me dio mejor fue en la torre de vigía de la Trocha de Mariel. Eso coincidió con la llegada de otro jefe a La Habana, que le dio un giro a la guerra y puso todo patas arriba. Hasta entonces, ya te digo, todo había sido mucho andar y poco comer. Y no sé para qué tanto empeño y tanta vigilancia a los ingenios esos cuando después se puso de moda que nosotros también le pegáramos fuego, como habían hecho antes los mambises. Que a mí se me llevaban los demonios cada vez que veía arder el campo, quemarse tantas vituallas, mientras nosotros rabiábamos de hambre.

***

6 / 8 / 2001

Hola, Basi:

No me gusta dejar constancia por escrito de mis actos íntimos. Existe algo que se llama pudor y que tengo muy en cuenta. Ya te dije todo lo que tenía que decirte en nuestros encuentros y me remito a mis palabras. Lo único que me quedó sin contestar es la pregunta que me haces con tanta insistencia. ¿Has estado a la altura de mis compañeros anteriores? ¿Los has superado? Son preguntas que no pienso contestar. Primero, porque son demandas machistas y egoístas. Segundo, porque yo enfoco nuestra relación desde el cariño y no desde el acto animal del sexo. Y tercero, porque eres tú quien debe evaluar si me hace feliz o no.

Sobre el comportamiento de la Iglesia respecto a los esclavos y cubanos en general, ya poseía yo una amplia documentación. Incluyo en ella los dos artículos de Luz que me enviaste. No obstante, te agradezco el interés que te tomas por el tema. Interés, por interés, tú has logrado despertar en mí el de las andanzas en la guerra de Basilio Xantal. Ojalá consigas despertar en los lectores de Culturalia la misma afición que has despertado en mí. A cambio, yo te voy soltando, poco a poco, las historias de Rogelio Sorozábal; que también tienen su interés. Claro que para ello he de taparme la nariz, aunque no tanto como hace veinticinco años, cuando ni siquiera cubriéndome las fosas nasales hubiera sido capaz de contarlo. Ahora tengo en cuenta que mi abuelo fue uno de tantos oficiales cuyo comportamiento no salía de la normalidad de entonces. Siempre se guió por la ferocidad y el deseo de ascender en la sociedad, jugándose la vida a cara o cruz para ello. No creo que se pudiera aplicar el término avaricia en Sorozábal, si sisó algunas pesetas del rancho de los soldados o en la construcción de trochas y cuerteles, era porque sabía que algún día tendría que volver a la vida civil y quería tener cierta base económica. Era la mentalidad de la época y de su gremio. No lo hacía por almacenar bienes sin ton ni son. Ya te iré contando algunas anécdotas que lo demuestran. Lo mismo que las hazañas en las que intervino hasta llegar al límite de sus fuerzas. Y en esto creo que su leyenda no exagera.

***

"Ninguna de las potencias europeas apoyó a España contra Estados Unidos. Nuestros gobiernos no consiguieron realizar una acción diplomática para seducir a ninguna potencia."

"La Regenta, en sus confidencias con el Embajador Francés, desconfía de Cánovas y Weyler, frente a los partes optimistas que éste último envía desde Cuba, ella intuye que se está produciendo la catástrofe."

"El tristemente celebrado José Martí, jefe civil de la actual insurrección y titulado presidente de la República de Cuba, quedó muerto en dicho combate, sostenido entre los ríos Canto y Contramaestre. Y, aunque no resulte cierta la noticia de haber muerto en dicho encuentro los cabecillas Estrada y Máximo Gómez, basta con el cadáver de Martí para que la insurrección quede descabezada y nuestras tropas sostengan el vigoroso espíritu y valiente entusiasmo de que tantas muestras van dando en esta campaña." (Blanco y Negro 1-6-1895).

***

15 / 8 / 2001

Querida Evangelina:

De acuerdo. No volveré a hacerte preguntas estúpidas.

Como ves, no disminuye en nada la amistad con esta nueva relación que hemos iniciado. De todas formas, podemos seguir desarrollando cada uno nuestra vida y vernos cuando nos venga bien. Así no nos agobiaremos el uno al otro. Para algo disponemos de nuestras respectivas casas, para gozar del amor, pero conservando la libertad individual. Creo que lo que mata el afecto es la convivencia bajo el mismo techo.

***

—A veces, la fortuna no te viene de cara, sino que da rodeos. Que me hirieran en la pierna derecha, en principio, me pareció una gran desgracia. Es más, te digo que se me cayó el cielo encima porque ya me veía en el sanatorio, de donde sabía que nadie escapaba con bien. Pero mira por dónde, mi vida dio un giro y me parece que para bien. A ver si me entiendes: no es que hubiera entrado en el Paraíso, pero comparado con lo que había pasado hasta entonces, la vida comenzó a ser más llevadera.

—Cuénteme usted cómo fue que lo hirieron, ¿fue en una batalla muy importante?

—No empieces a poner en vuelo los pájaros de tu cabeza. Mi herida me vino de una escaramuza. Una de las miles que nos venían sucediendo. Además, yo no sé si hubo grandes batallas, porque no participé en ninguna. Si no hubiera sido porque, en el barco de repatriación, algunos compañeros me contaron cómo les había ido a ellos en la guerra, para mí toda la campaña hubiera sido de escaramuzas. Yo no lo hubiera podido contar de otra manera. Es más, no hubiera podido decir quién había ganado la guerra; únicamente me di cuenta de la derrota en el campo de prisioneros.

Ya te he contado que teníamos que descansar en duermevela, con el temor constante del ataque. Me hirieron justamente en una de esas batidas nocturnas, en las que los mambises y nosotros jugábamos al gato y al ratón. Menos mal que yo estaba con la mosca tras la oreja y, en cuanto noté algo raro, di un salto de liebre. Con todo y con eso, me llevé un buen tajo en la pierna derecha. Imagínate las asuras: yo sangrando como un cerdo en medio de la oscuridad y sin saber en cuánto tiempo perdería la última gota de sangre del cuerpo. Lo bueno fue que en seguida los compañeros se dieron cuenta de mi estado y pusieron en marcha el plan para auxiliar a los heridos. Si el sargento Luciano, que tantas veces me había calentado las costillas, no hubiera intervenido, yo no habría estado aquí para contarlo. Fue él quien mandó traer los faroles para que se viera bien claro y ordenó a los sanitarios que me curaran. Pero, sobre todo, el que me apretó muy fuerte la herida con una toalla para que no se escapara más sangre. Como comprenderás, cuando me dijeron que tenían que llevarme al hospital, se me cayó el alma a los pies: me iban a meter al lugar del que no se salía con vida. "No me lleven al hospital, por favor. A ver si en la misma enfermería de la columna me pueden curar". Pero el practicante dijo que no había más remedio que ingresarme y así se hizo. Mira por dónde, en aquellos trances que yo veía tan negros, la fortuna seguía siendo mi amiga. El sanatorio al que llegué, no era de tan mala calidad como yo temía. Por lo menos había anchura y los enfermos no estábamos hacinados. De entrada, no estaba yo para darme cuenta de cómo era aquello, pero al salir, pude observar que se trataba de un antiguo almacén, adecentado, no tan sucio como otros, y en el que muchos de los enfermos, aunque depositados en angarillas en el suelo, por lo menos no permanecían apelotonados. Muchas de esas angarillas, al encontrarse elevadas de la tierra por unas piedras, parecían camas. No sé qué decirte del tiempo que me tuvieron allí. De un mes para arriba, no le quites nada. Porque no se trataba sólo de la herida, que no tardó en curar, sino del dolor que me dejó en la pierna y que no me permitía apoyar el pie en el suelo sin ver las estrellas. Ya andaba yo asustado porque me creía que me iba a quedar cojo para siempre; pero con el tiempo me fue desapareciendo totalmente el renqueo.

El hospital de Santa Clara no era muy moderno, ya te lo digo, pero había medicinas, como cataplasmas y alcohol. Con eso curaron mi herida. Y el rancho era más pasable, por lo menos comías caliente. En lo tocante a tener que dormir con los caballos, a mí no me importaba. Hubo sus más y sus menos entre los jefes, por lo de los animalicos, pero a mí me consolaba tenerlos cerca de mi cama: me hacían creer que me encontraba en casa y, sea por el ronchar de los dientes al moler el grano o los manotazos de impaciencia, me hacían soñar que me encontraba en mi cuadra cuidando a mis animales. Hubo incluso una vez que me levanté como un sonámbulo dispuesto a suministrar el pienso de media noche a mis mulas. En definitiva, que esto me hacía dormir tranquilo y olvidarme del lío de guerra en el que estaba metido. Por eso, en la disputa que hubo entre el coronel y el capitán, jefe del hospital, yo me puse de parte de aquel. ¡A ver qué daño podían hacer las bestias porque estuvieran durmiendo con nosotros! A ver si, al haberme criado casi siempre descansando con animales, me había impedido estar más sano que una manzana. Es que los señoritos, como le pasaba al capitán, creen que los caballos son una cosa sucia y pueden pegar enfermedades. Qué sabrán ellos. Puros melindres. Total, que el jefe de hospital se encaró con el coronel y se opuso a que los jamelgos durmieran junto a los enfermos. Menuda se lió. Como los "mejorados" no teníamos otra cosa en qué matar el tiempo, aquella disputa nos distrajo mucho. La pena es que ganó el médico y no volvimos a ver a los entrañables animales.

—¿Y cómo fue esa discusión?

—Empezó la noche en la que el recién nombrado jefe del hospital mandó sacar a los caballos fuera del recinto. El subalterno obedeció y los ató en las anillas de la fachada del edificio. Y no se supo nada más del asunto hasta que, a la mañana siguiente, se presentó el jefazo en el sanatorio, seguido de un comandante y unos cuantos capitanes. En la forma briosa de andar y en la cara de hiena que se le había puesto, se le notaba al coronel que le estaba hirviendo la sangre. "¿Dónde está el capitán Rodríguez? ¿Dónde está?" Se ve que el médico dormía tranquilamente en su cama, recuperándose del trajín de una larga noche de guardia. Pues bien, el superior entró en el cuarto del jefe de hospital, lo despertó y, zarandeándolo, lo sacó al centro de la nave, donde le observaran todos. "¡Cómo se atreve usted a tocar a mis caballos!", dijo, salpicando saliva en la cara de su subordinado y agarrándole por las solapas. "Mi coronel, ¿a qué se refiere usted?" Las palabras del sanitario se ve que produjeron al superior la sensación de una patada en sus partes, o algo así, porque primero se le puso la cara color azafrán y después tomate. "¡Desvergonzado! ¿Ya se ha olvidado del tratamiento que me debe? ¡Usía! ¡Tráteme de usía!" Como comprenderás, el capitán ponía cara mohína pero no quería ceder en cuanto a los hechos. "¿A qué se refiere usía?" La voz de mando se hizo un poco menos áspera, no se sabe si por falta de energías o porque iban entrando al grano. "¿Cómo te atreves a tocar a mis caballos?" "Mi coronel, usía sabe que un hospital no es una cuadra. Aquí no se pueden encerrar caballos ni ningún otro animal que ponga en peligro a los enfermos. No he hecho otra cosa que cumplir con mi deber al sacar de aquí a los animales". A lo mejor piensas que el gran jefe cedió antes las razones del médico. Pues no, el que tiene las riendas del asunto siempre cree que se puede salir con la suya. "¡Cuádrese cuando se dirija mí! Usted hará lo que yo le mande. Por lo pronto me va a tener que pagar, en el caso de que no aparezca, el caballo que falta. Eso, para ir abriendo boca. Y, como vuelva a repetir la acción de anoche, le aseguro a usted que no pararé hasta verlo en el frente, en el sitio más peligroso que haya". "Mi coronel, ¿no se da usía cuenta de que soy yo el que manda en el territorio que está usted pisando? Como soy el que manda aquí, con todo respeto, le pido que se vaya inmediatamente. Le aclaro que sus caballos no van a volver a entrar en el hospital, a no ser por encima de mi cadáver.

Le afeo que está usía abusando de su autoridad al tratarme como a un delincuente, delante de tanta gente y a quienes deberíamos dar ejemplo".

Después del espectáculo gratis que nos habían brindado, parecía que la cosa había quedado en empate, pero en realidad había ganado el jefe del hospital porque los caballos no volvieron a dormir entre nosotros. Me hubiera gustado conocer el final de la disputa entre los jefes, pero me dieron el alta por esas fechas.

***

20 / 8 / 2001

Querido Basi:

Soy consciente de que las cosas duran mientras duran y de que lo nuestro se puede romper por cualquier incidente; por cualquier nadería. Sin embargo, te pido que andemos con pies de plomo porque si fracasamos en esta última oportunidad de nuestra existencia, para mí va a ser un drama del que me temo no podré levantar cabeza.

Ya ves que soy una persona vulnerable, por muy mitificada que me tuvieras. Eso es lo que pasa con los seres que están instalados en la imaginación, suelen decepcionar cuando se les contrasta con la realidad. Por favor, procura que a ti no te pase lo mismo.

***

"Tienen lugar en Valencia grandes manifestaciones contra la Guerra de Cuba. Se declara el estado de guerra y se llevan ante

los tribunales militares a doce personas." De EL RESUMEN
(3-8–1898).

"A raíz de la noticia dada por nuestro periódico, de que no
había oficiales subalternos voluntarios para la guerra colonial,
los militares han respondido asaltando nuestro periódico."

"Tuvieron grandes intereses en la trata de negros: Romero
Robledo (sacarócrata en Cuba); el hermano (José) de Cánovas
del Castillo, propietario del Banco Español de Cuba; María
Cristina y Francisco de Asís." (Correo Español 23–1–1898).

***

23 / 8 / 2001

Querida Evangelina:
La duda ofende. Ya sabes que no tengo más que una palabra y estoy dispuesto a cumplirla, cueste lo que cueste.
Además, piensa que yo sufriría tanto o más que tú ante un
nuevo fracaso. Porque éste no sería un fracaso cualquiera,
sino el fracaso de mi vida. Así pues, yo también estoy por la
labor. Que lo que vamos construyendo, poco a poco, no se
rompa.

***

—Mientras yo me curaba, se ve que iban cambiando las
cosas. Corría el rumor de que había llegado un nuevo jefe a La
Habana y estaba reorganizando el Ejército. Por lo pronto, ya
no tuve que dedicarme al pateo, a tontas y a locas. No te
puedo decir si era porque no me veían muy aprovechable para
lo de las caminatas, por lo de la pierna, o porque necesitaban

hombres para el asunto de la trocha, esa especie de barrera que estaban construyendo. Decían que, de esa forma, no tendríamos que perder el tiempo persiguiendo al enemigo y que cuando lo tuviéramos encerrado, no tendría sino que rendirse. Se montaron los campamentos a pie de obra, para no tener que andar desplazándonos cada día. Todos poníamos la mejor voluntad para que el muro corriera deprisa con el fin de acabar la guerra cuanto antes y volver a casa de una puñetera vez. Ya ves qué falsas ilusiones nos hicimos.

—Abuelo, pero usted tendría noticias de cómo iban las cosas para nuestra Patria...

—Yo no te puedo contar más que lo que pasó delante de mis narices. Ya ves, ni te podría decir quién salió victorioso.

—¿Y lo de los yanquis?

—Tampoco te puedo aclarar mucho.

—Abuelo, de todos es sabido que hubo grandes batallas contra los americanos. Sin ir más lejos, ahí tenemos a Sorozábal que participó en la de San Juan. Ese hombre pudo dejar una leyenda tras él porque se enfrentó al Ejército más poderoso del mundo.

—Yo no tuve ninguna noticia de esas batallas en el momento en que se estaban produciendo.

—¿Y usted nunca coincidió con Rogelio Sorozábal?

—No sólo no coincidí con él en Cuba, sino que no había tenido noticias de ese señor en nuestra ciudad. Las primeras noticias que he tenido de él, me las diste tú. Y cuando volví a casa no tuve tiempo para ocuparme de los dichos de la población, estaba en otros menesteres.

—¿Y dónde estaba usted entonces? Me da a entender que se hallaba aislado.

—Es una madeja que trae mucho hilo. Ya te dije que había cambiado mi suerte desde que me hirieron. Después de salir del hospital, me dieron el destino de construir la empalizada esa. Una vez acabada, me pusieron en el servicio de vigía. Me tocaba vigilar, por turnos, en una torre muy alta. Desde allí acechábamos los cuatro puntos cardinales para que no se colara ni una rata. En cuanto había algo que se movía, teníamos la orden de disparar. Allí permanecí mucho tiempo. No te digo que fuera una ganga ese trabajo, pero las condiciones en las que se desenvolvía mi vida habían mejorado. Por lo menos, no me rondaban tantos peligros como antes y pude llenar la panza con más regularidad. También conocí a una gente cubana que se portó muy bien conmigo.

—Entonces, ¿no corría usted peligro en ese nuevo puesto?

—Generalmente, no. A no ser que de sopetón vinieran los rebeldes y nos atacaran a traición, que no fue mi caso, mi faena se convirtió en una rutina. Vigilaba durante las horas que me correspondían, fuera de día o de noche, estuviera claro u oscuro. Porque, cuando oscurecía, ponían unas iluminaciones tan claras que convertían la noche en día. No te creas, hubo inventos nunca antes vistos en aquella guerra. Como entonces yo no estaba acostumbrado a lo de la luz eléctrica, aquellos focos tan luminosos me parecían cuestión de magia. Allí tuve la suerte de dar con una familia cubana muy especial. Ellos, a mi entender, no estaban por la defensa de un bando u otro, de los que entonces luchábamos. Estaban por mí. Ellos hicieron las veces de la familia que había dejado en España. Me cuidaron como si fuera un hijo o un hermano. Casi estoy por decirte que hicieron por mí más que los de mi propia sangre. No te voy a asegurar que fueran más que mi madre, sino que eran de otra manera. Mi madre no era cariñosa y ellos sí. Además, que me dieron muchas cosas a cambio de nada. Si bien lo miras, mi familia de aquí era más un toma y daca, pues a cambio del cobijo que me daban en la casa, la ropa y los alimentos que recibiera, yo tuve que trabajar desde bien niño. En cambio, los cubanos me lo daban todo a cambio de nada. Fíjate hasta qué punto les quedé agradecido, que me he acordado de ellos toda la vida. Más de una vez he estado en un tris de meterme en un largo viaje para volver allí y hacerles una visita de agradecimiento. No lo he hecho porque me han faltado agallas, porque me venía a la cabeza aquella travesía horrorosa que sufrí y no me encontré con fuerzas suficientes para repetir la hazaña. Si no, ya lo creo que habría regresado a Cuba.

—¿Y no ha vuelto a tener relación, aunque fuera por carta, con esa gente?

—Pues mira, no. Y eso está muy mal hecho por mi parte. Bien que me podría haber carteado con ellos, pero chico, soy muy dejado. Y de eso bien que estoy arrepentido. La cosa es que estuve un tiempo dudando entre quedarme allí o venirme para la Península. Aquella gente que me acogió, me tiraba mucho y, por otra parte, no creas que no veía la posibilidad de labrarme un porvenir en esa tierra, en donde todo estaba por empezar. Allí podría haber sido un cubano más, haberme comido el mundo, pero sentía que si no volvía a mi tierra era como haber muerto, que la vida que me tocara vivir en adelante sería postiza. El padre era un tiarrón, un mulato de mucho respeto, fuerte como un roble y con carácter bondadoso. La madre era una mulata, más tirando a leche que a café con leche, que llamaba la atención por lo guapa que era. Al padre lo nombraban Sebio y a la madre Gina. Eran nombres raros todos. Las hijas, Luchi y Drea, ya en edad de merecer, también era muy vistosas. Luchi más que la hermana, pero las dos causaban admiración en los hombres. Toda la gente de ese batey, donde yo residía con los Regalado, era buena y no nos traicionó nunca. A ningún mando de nuestro Ejército se le pasó por la cabeza llevar a aquella gente a la reconcentración, porque eran leales y estaban a nuestro servicio.

—¿Qué quiere decir? ¿Ellos no eran enemigos?

—¡Quita de ahí! Ni por asomo. Corría el rumor de que los bateys eran campo afín al enemigo, por eso pasó lo que pasó, que se llevaron a todos los campesinos reconcentrados a las ciudades, no sin antes haber prendido fuego a sus poblados. Pero ya ves qué diferente era la gente que nos tocó en nuestro batey, que se dedicaron a cuidarnos, a pesar de ser mal vistos por sus paisanos. A los que colaboraban con nosotros les decían rayaditos, debía ser porque se arrimaban a nuestro uniforme. El bohío de la familia Regalado no era más grande que esta cocina, pero como eran gente ordenada e ingeniosa, nos podíamos arreglar todos dentro y no sentirnos agobiados. Por otra parte, poca vida teníamos dentro del chozo y, a menos que fuera tiempo de lluvia, casi todo se hacía al aire libre. Dentro sólo se dormía. Las mujeres barrían y aseaban un buen trozo de terreno, delante de la puerta del chamizo, y allí permanecías tan a gusto, pues también se habían preocupado de poner sombrajos, con palos y hojas de esas tan grandes que se crían por allí. Echábamos ratos de risa y palique delante de la puerta del bohío, fuera de día o de noche. Por necesidad, la gente hacía mucha vida al aire libre. Era algo parecido a lo que hacemos nosotros aquí en verano. Ellos, a lo grande. No digo en verano, porque entonces era cuando más llovía, pero sí en otro tiempo. Como el clima era tan caluroso donde se aguantaba mejor era en la calle. Cada uno sabe hacer las cosas en su tierra aclimatándolas a lo que más le conviene. Aquí no nos valdrían esas construcciones porque nos pelaríamos de frío en invierno. Además, apenas necesitaban gastos para construirlas y un buen servicio que prestaban. De esa manera, hasta los más pobres podían tener su casa.

Así comenzó la rutina de la vida nueva. Yo hacía mis horas de vigilancia, pero el resto del tiempo lo pasaba con esa familia y con otras de la vecindad. Además, algunas fiestas y diversiones tuvimos porque esa gente era alegre por naturaleza y a nosotros, al ser tan jóvenes, nos agradaba ese carácter. Lo otro que tuvo de bueno esa situación fue que no volví a pasar tanta sed. Los Regalado, lo mismo que los otros bateyanos, sabían almacenar el agua en unas orzas grandes, casi enterradas, que conservaban el líquido con su buen sabor y no muy caliente del todo. Menudo manejo se daban para recoger el agua. Hacían como canalillos, rodeando los árboles de hojas grandes y esa agua corriente iba a parar a las orzas. Y como en el batey no había pozos y a la gente no se la dejaba salir del poblado, dada la situación de conflicto, había que cuidar el agua a toda costa. Eran unos seres muy apañados. Imagínate, con los pocos víveres que recibíamos sabían hacer cosas más gustosas que aquel rancho del Ejército. ¡Y eran los mismos ingredientes, ojo!

Esa fue una razón más, aunque a ti te parezca poco heroico, para seguir la consigna de sálvese quien pueda. Por eso hice la vista gorda y hasta colaboré con la familia Regalado cuando empezaron a explotar un huerto a escondidas. Se las ingeniaban muy bien, pero desde luego, ellos no hubieran podido hacer nada sin mi colaboración. Y yo me daba cuenta de que, si me hubieran pillado los jefes en todos esos tejemanejes del huerto, me habrían aplicado un duro correctivo. Mientras tanto, en el Ejército se dieron cuenta de que yo era un poco más despabilado que los demás, que tenía un sentido de la orientación más desarrollado que otros compañeros y que, además, había aprendido a leer y escribir. Ya te conté cómo, en medio de todas esas trifulcas, no desaproveché ni un rato en beneficio de esa nueva afición que me había entrado. Mi nueva maestra Luchi fue la que me dio el empujón más grande. Mira qué pronto saqué beneficio de mi nuevo aprendizaje. A lo que íbamos. Un día se presentó un teniente que buscaba de hombres para una misión especial y se fijó en mí. Lógicamente, al principio me asusté, porque siempre he sido de la opinión de que, en esos sitios, no hay que destacarse en nada. Y, como puedes suponer, me disgustaba mucho tener que dejar a la familia Regalado, que tanto me mimaba. Pero, en este caso, me equivoqué; la nueva misión me valdría para aumentar mi bienestar: me habían nombrado enlace. Mi tarea consistía en llevar unas cartas y unos partes de un puesto a otro. Era como hacer de recadero, para que me entiendas. Cosas sencillas. Rutas casi siempre paralelas a la barrera esa de la que antes te hablé. Otras veces me tenía que alargar hasta las ciudades, pero no era lo acostumbrado. Antes te dije que, en el Ejército, en ese tiempo, teníamos el telégrafo, invento que maravillaba a ignorantes como yo, que no podíamos explicarnos cómo las palabras podían correr tan rápidamente por los hilos. Pero ese invento tan portentoso tenía su punto débil: los rebeldes cortaban los hilos y dejaban sin garganta al aparato. En ese caso, yo hacía de hilo de unión entre un puesto y otro. Y de ahí que pude favorecer el huerto escondido de los Regalado. Las cosas son como son y, cuando la gente tiene que llenar la andorga sea como sea, hay que jugarse la vida y poner toda la imaginación al servicio de la causa. Alguno de nosotros tenía que arriesgarse por la noche burlando la guardia, para ir a cultivar el huerto y ver a los animales. Los Regalado se jugaban cada día la vida para seguir viviendo. ¿No te parece chocante? Porque, por más rayaditos que fueran, desobedecer una orden era una cosa muy seria. Y era generalmente la Luchi o la Drea quienes lo hacían. Por aquello de que, en caso de cogerlas, con las mujeres tendrían más consideración, aunque del castigo no nos fuéramos a librar nadie. Salían a altas horas de la noche a su labor, y consiguieron que nunca nos cogieran. Es que era muy sigilosa esa gente. Fíjate que yo, durmiendo con ellos en el mismo suelo, no me daba cuenta de cuándo se levantaba alguna de las hermanas para ir a los cultivos.

***

25 / 8 / 2001

Buenas tardes, Basi:

¿Quieres una anécdota que, en cierto modo, defina el carácter de mi abuelo?

Resulta que el teniente Sorozábal, junto a otros oficiales, fue acusado de apropiación indebida de los bienes del Ejército. Se ve que les achacaban haberse quedado con parte de los víveres destinados a la manutención de los soldados para venderlos en el mercado negro. En la investigación que realizó el propio Ejército resultaron absueltos de toda culpa, pero ya había quedado la sospecha sobre ellos. Y en ese caso, también han quedado sospechas en mí, dado que, según tengo entendido, abundaban los mandos que trapicheaban con los víveres. Rogelio quiso dar una lección a los demás gastándose toda la paga del mes, así que llevó a todos los soldados de su sección a la cantina y les invitó a comer y beber todo lo que quisieran. De esa forma tapó las bocas de todos aquellos que lo miraban como a un ratero.

***

(De los periódicos) Resumen del Boletín pastoral del Arzobispado de Madrid-Alcalá (23 –4 –1895):

"Id valientes a pelear con la bendición de la Patria. Con vosotros va España Entera. ¡Con qué envidia os contemplamos levar anclas, zarpar y alejaros de nuestras costas! ¿Por qué la infancia, o la vejez, o los cargos, o los achaques nos arrebatan la dicha de tomar parte en vuestra empresa?"

"Estalla en la Capitanía General de La Habana una bomba destinada la capitana General. Weyler sale ileso. Hay tres españoles implicados."

"Algunos intelectuales progresistas se inclinaron por dar la asamblea autonómica a Cuba, pero los conservadores y patrioteros se opusieron. Cuando se concedió el Estatuto Autonómico, ya era demasiado tarde."

***

30 / 8 / 2001

Buenas, Evangelina:

Haré lo posible por modificar mi agenda, de tal forma que pueda acompañarte. Por nada del mundo querría perdérmelo.

Por lo que me contabas los otros días, casi estoy por pensar que sientes alguna clase de celos por mi sobrina. En ese aspecto, puedes estar bien tranquila. Mi interés por ella no pasa del deseo de pagar la deuda que contrajo mi abuelo en Cuba. Además que, como tú dices, no quiero cometer incesto de ninguna de las maneras. Lo que sí despierta en mí Luz son sentimientos paternales.

Aumenta mi curiosidad por saber más detalles de las andanzas del soldado Xantal en Cuba. Como puedes suponer, mi deseo de saber está por encima de tu curiosidad. No obstante, hemos de tener paciencia, dado que me voy enterando con cuentagotas. Luz tiene una idea general de cómo fue la vida de Basilio Xantal en el seno de la familia Regalado, pero cuando quiero que profundice en los detalles, dice que lo ha de consultar y eso va contra mi bolsillo. Me explico. La otra noche, le pregunté por el día en que los mambises atacaron el batey, mi abuelo vivía entonces en el bohío de los Regalado. Le pedí detalles de cómo pudieron escapar todos y de cómo encontraron a Basilio. "Ah, no te puedo precisar", me dice, poniendo cara encantadoramente ingenua, "pero tú no te preocupes porque ahorita lo averiguamos". Sin más preámbulos, coge mi teléfono y se pone en comunicación con Cuba. "La tía Gabriela tiene que saber eso. Por lo viejita que es, almacena información de toda la familia". Y la tía Gabriela no tiene teléfono, por lo que hay que llamar a la vecina del tercero A, que sí tiene teléfono, pero que hace el favor de avisar, con toda parsimonia, eso sí, a la viejita del primero B. Además, como la tía está un poco sorda y le cuesta oír que llaman a su puerta, esto hace eterna la espera. Todo esto me lo va transmitiendo Luz a medida que ocurre. "¿Puede avisar a doña Gabriela de que su sobrina Luz la reclama al teléfono, por favor?" Y me explica, con esa voz melosa que tiene, "tardaremos un tiempo en ponernos en contacto. Ahorita, la vecina deja el auricular sobre la repisa que tiene al lado. Ahorita va hacia la puerta. Oigo un ruido, seguro que ha tropezado con el banquillo que hay en el pasillo. Baja la escalera. Toca el timbre. La tía Gabriela se demora" ¿Cuánto tiempo ha pasado hasta que la voz de la viejita suena en el teléfono? ¿Media hora? Pero esto no ha hecho más que empezar. La conversación entre tía y sobrina va para largo. Primero vienen los saludos. "¿Cómo le va, tía?... Sí, soy Luz, la hija de Emerencia... Sí, llamo desde España... Sí, me va bien... Aquí tengo a mi lado a Basilio… No, hace muchos años que murió. Este es el nieto…Mira, tía, quisiéramos que nos contaras algunos detalles de la vida de Basilio, en relación a tus abuelos". Así es como me voy enterando de cómo los Regalado consideraban a mi abuelo de la familia, pero es porque era la pareja de Luchi. Se ve que convivió con ella durante casi todo el tiempo que permaneció en Cuba. Hasta ahora, poco más sé. A medida que Luz vaya utilizando mi teléfono para sus largas conferencias, me iré enterando de más. Ya te contaré.

**

—Cuando cogí el nuevo cargo de correo, saqué tiempo y colaboré con la familia en la obtención oculta de alimentos. Fue cuando más descaradamente miré por mí mismo. Había que alimentarse, fuera como fuera, y no te extrañe nada que los personajes, esos que tú tanto admiras, también se aplicaran el cuento. No digo que no se hayan jugado la vida alguna vez para favorecer a sus compañeros, pero el resto del tiempo, no te quepa duda de que también obraban guiados por el egoísmo. Eso me parece a mí. A lo mejor estoy equivocado porque nunca he conocido a nadie que no obre en provecho propio. Es que hay gentes muy ladinas, que sólo cuenta las cosas valientes que han hecho y callan las egoístas. Yo, no. Yo quiero ser sincero contigo y contarte lo bueno y lo malo. Que yo no contara a mis mandos lo del huerto, a ti te parecerá feo, pero yo lo miro de otra manera; los Regalado también tenían derecho a alimentarse y a no morir de hambre. ¿Te parece mal que yo los protegiera?, ¿a quién los iba a denunciar?, ¿al sargento Perales? Pues que sepas que, de ese señor de intendencia, se rumoreaba que se llenaba los bolsillos a costa del hambre de los soldados. Lo mismo te digo con lo del mulo. ¿No tenía yo derecho a ir caballero cuando hacía los recados, de un puesto a otro, a veces distantes muchas leguas? Si el Ejército no me proporcionaba los medios de transporte, ¿no tenía yo razón para buscármelos? Pues también tuve que actuar de amagado. Que ningún militar se enterara de que disponía de un mulo porque me la jugaba. Y lo había de tener, porque suponía mucho para mí: no gastar fuerzas de las pocas de que disponía; ir más rápido; ahorrar tiempo para el huerto.

—¿De dónde sacó usted el animal? ¿Acaso tenía usted dinero para comprarlo?

—No, niño, no. Lo saqué del campo. Era de los que no pertenecen a nadie en concreto. Había que andar listo para agenciarse un animal tan preciado. Que no sólo valía para transportar cosas de guerra, bien a lomos o uncido en un carro, que también se los comía la gente hambrienta, en menos que canta un gallo. Hacía tiempo que yo andaba con el deseo de hacerme con una bestia de estas, aunque sólo fuera un borrico. Y la ocasión la tuve un día en que hubo una escaramuza entre los nuestros y los rebeldes. Al coronar una loma, veo que están en plena pelea una pequeña columna nuestra a la que había atacado un grupo enemigo. Lo primero que hice fue buscar un buen escondite, desde donde observar sin ser visto, y esperar a que terminara la refriega. Sabía que, una vez terminada la batalla, quedaría alguna cosa que me sería útil. Efectivamente, cuando se retiraron uno y otro bando, llevándose a los heridos correspondientes, vi tres mulas pastando cerca de un arroyuelo. Me hizo gracia, parecía como si los animales esperaran a que sus dueños terminaran de matarse para que volvieran a recogerlos y seguir así la rutina. Pero los dueños no volvieron. De entre los tres, yo escogí al macho que tenía mejor estampa y que parecía más dócil. No te creas que era cosa de coser y cantar disponer de un animal así sin que nadie, sobre todo mis jefes, se enteraran. Había que tener mil precauciones, pero yo ya estaba acostumbrado a ese tipo de ambientes. En esos momentos conseguí de mis superiores que me dejaran vestir de civil; dejar el uniforme de rayadillo, que aunque gastado y sucio, llamaba la atención y denunciaba que era un soldado del Ejército español. Y eso no me convenía para nada. En su lugar, me puse un pantalón de media pierna y una blusa de esas de los campesinos, guayaberas, me parece que la llamaban. Era peligroso andar por esos campos de Dios pregonando que eras soldado, sobre todo si andabas solo. Te podían quitar la vida, antes de que te dieras cuenta. En eso tengo que estar agradecido al teniente que me metió en ese asunto, él me permitió ese cambio de indumentaria.

Ah, sí, tienes razón. Estaba contándote lo del macho. Bien que me serví de él, no te creas, hasta que lo perdí. Ya se había convertido en una rutina, dejaba el mulo escondido antes de llegar al puesto a donde tenía que entregar los partes y, una vez cumplida mi misión, volvía a recoger al animal. Cuando iba a los puestos habituales, ya tenía yo localizado un buen lugar para esconder al mulo. Has de tener en cuenta que casi no había nadie en los campos, los cubanos estaban reconcentrados en las ciudades.

—¿Y el enemigo? ¿No podía descubrir su cabalgadura?

—No te digo que no, pero yo ya tenía cierta experiencia en eso de la guerra y sabía encontrar los lugares por donde no fueran a andulear los Mambises. ¡A ver si te crees que era moco de pavo el peligro que yo corría! Por la parte nuestra, más o menos tenía el expediente cubierto, ya que llevaba encima un papel, firmado y sellado por el coronel jefe del distrito en el que se acreditaba mi misión. Que, más de cuatro veces, caminando por esas veredas cubanas, me pilló alguna patrulla de vigilancia y les tuve que dar explicaciones. Imagina que no hubiera llevado encima ese documento. Lo peligroso era que me cogieran los del bando contrario, con el papel encima. Por eso, cuando me veía precisado, lo escondía entre los aparejos del mulo. U otra vez, ya muy comprometido, lo tuve que enterrar. Vanas quimeras porque, si el enemigo me hubiera cogido de verdad, mal lo hubiera tenido para explicarles el porqué yo andaba suelto por los caminos, cuando no se veía a nadie. Sin embargo, para espantar el miedo y darme valor, me había inventado una historia para contar a los enemigos: "Yo no he venido a Cuba más que con la intención de trabajar. Vine mucho antes de empezar la lucha. Estaba colocado en el ingenio El Aguacero, el de don Tomás Recio, cuando comenzó la contienda. Perdonad que os lo diga, pero a mí esto ni me va ni me viene.

Desde que los españoles quemaron la hacienda donde era capataz y me quedé sin trabajo, voy trapicheando de aquí para allá con el mulo, con la intención de sacarme un peso con el que poder llenar el estómago. No es cosa fácil mi vida en estos tiempos que corren". "¿No serás un espía del Ejército invasor?" "¡Qué va! Yo no soy de ellos aunque tengo que admitir que tampoco me he comprometido con ustedes. Es que deseo ser libre. Ustedes deben comprender que, aunque me gustaría luchar a vuestro lado, tampoco puedo luchar contra mis paisanos, que algunos son de mi propio pueblo". "También somos de tu misma sangre muchos de nosotros. Hay muchos gallegos, de diversas partes de la Península, que luchan con nosotros. Si no quieres unirte a nuestro bando, es porque perteneces al enemigo". Claro, no se iban a creer esa mentira, por más que la echara con las palabras y los gestos lastimeros adecuados. Lo que esperaba de esa situación desesperada era que me descartaran como enemigo. Y, de las malas, malas, más valía enrolarme en su Ejército a que me quitaran la vida, porque mientras hay vida, hay esperanza. Y en ese sueño de darme ánimos, me veía enrolado en ese Ejército enemigo y, a la postre, ya saldría la ocasión para desertar de ellos. El caso es que habría salvado la vida. En fin, en cuanto observaba huellas de mambises, procuraba que me tragara la tierra para no topar con ellos.

—¿Ve usted, abuelo? La Patria siempre es la Patria. Estoy seguro de que si usted se hubiera visto en una situación tan comprometida, se hubiera dejado matar antes de renegar de lo suyo.

—No lo sé, niño. Uno nunca sabe cómo se va a comportar cuando se ve delante de la muerte. A lo mejor me hubiera dejado matar, no te digo que no. A lo mejor me hubiera olvidado de tanto sapo, como venía tragando de los jefes. Te voy a contar el caso del teniente primero, don Agapito Navarro. Era quien recibía mis correos, cuando los llevaba. Hombre cabal y buena persona, donde las haya. Estoy seguro de que pocas veces había puesto la mano encima de cualquier soldado que estuviera bajo sus órdenes. Hasta decían de él que algunas veces compartía el rancho con sus quintos, no te digo más. Y, a mí mismo, que a ver de qué me conocía. Pues, cuando me presentaba ante él, me mandaba que me sentara a descasar y que me tomara un café de los buenos, antes de reemprender la marcha. ¡Pues no me gustaba a mí presentarme ante el teniente Navarro! Era un tiarrón, mostachudo, de esos que hacen estremecer a las mujeres.

Pues un día llego al puesto, haciéndoseme la boca agua por el café que me esperaba y, en vez de al teniente de mi agrado, me encuentro a un capitán con cara de pocos amigos, que me hizo retirar de su vista, sin más atenciones. Como puedes comprender, antes de marcharme de ese puesto, pregunté por el teniente Navarro, no fuera a ser que al hombre le hubiera ocurrido alguna desgracia. Eso me hubiera causado mucha pena. Aquella vez, mis preguntas no consiguieron respuestas claras: "Dicen que ha tenido que marchar a Santiago". "Dicen que se ha quejado de unos colegas". No es que yo fuera un metomentodo, es que me interesaba porque le había cogido querencia. Después hice varios viajes, siempre con la esperanza de que me recibiera don Agapito Navarro. Pero, ca, èl teniente no volvió a recibirme. Lo que sí pasó en los viajes sucesivos, es que logré enterarme de la historia completa del oficial. Resulta ser que, como no llegaban víveres a su sección, se dedicó a investigar en dónde estaba la raíz de la escasez. Pidió permiso y se trasladó a Santiago de Cuba, a donde llegaban todos los barcos de intendencia. Así se podría dar cuenta de a dónde iban a parar esos suministros, tan necesarios para el alimento de los soldados, que llegaban de España y otros de la misma Cuba. No es que fueran mucha cosa: arroz, garbanzos, tocino, azúcar, café y pare usted de contar. Cuentan que Navarro hasta se vistió de paisano y se hizo pasar por un tratante de víveres con tal de ver a dónde iba a parar toda esa manducatoria. Total, que descubrió a una pandilla de mangantes que robaban nuestra comida para venderla a la gente civil y hacerse millonarios. Desde luego, no eran tan tontos como para acapararlo todo y no dejar nada para nosotros, los soldados. No, eso no. Cogían una buena tajada y las sobras no las enviaban para el rancho. "Con esta parte menos, no lo va a notar nadie", digo yo que dirían. Lo jodido, por lo que se ve, es que dirían lo mismo cada uno de los controladores de cada uno de los almacenes de intendencia por donde pasaba nuestra comida. Hasta que, al final, a nosotros sólo nos llegaban las migajas.

Bueno, volvamos al teniente Navarro. Cuando descubrió a los ladrones, lo puso en conocimiento de las autoridades competentes con el fin de que éstas dieran un escarmiento a los responsables y nunca más se volviera a robar nuestra manducatoria. ¡Pobre hombre! Nunca lo hubiera hecho porque, en vez de castigar a los culpables, intentaron castigarlo a él. Por lo visto había muchas gentes importantes, civiles y militares de todos los cuerpos, metidas en el ajo. De esa manera, no había quien les parara los pies. Esos tenían muchas agarraderas como para que los fuera a detener un tenientillo. Con los poderosos nadie puede meterse, por más clara que se vea la queja. Así es que convirtieron al teniente acusador en acusado. Decían que había traicionado a sus compañeros oficiales y que estaba contribuyendo a minar la moral de la tropa. Con que a don Agapito Navarro no lo volvimos a ver más. De seguro que lo mandaron para la Península. Unos rumoreaban que lo habían licenciado del Ejército y otros que se lo habían llevado a un cuartel de Madrid. ¿Sabes qué nos dijeron a nosotros? Vamos, a mí concretamente no, porque no era un subordinado del teniente. Pues dijeron que lo habían tenido que evacuar a la Península por enfermedad. Si no hubiera sido porque el mismo don Agapito había escrito a su asistente contándole la verdad, nunca nos hubiéramos enterado de por donde iban los tiros. ¿Y qué enfermedad iba a tener?, si estaba más sano que una manzana y no había recibido heridas de ninguna clase.

***

5 / 9 / 2001

Estimado Basi:
No sé a qué viene esa actitud proteccionista que has iniciado con la cubana. La chica es espabilada y no necesita a nadie

que la dirija. En todo caso, cuando ella te pida un favor, entonces y sólo entonces es cuando se lo debieras conceder. ¿Por qué te tienes que adelantar a sus intenciones?

***

"La bella cubana Evangelina Cisneros ha sido condenada a veinte años de cárcel por haberse negado a mantener relaciones sexuales con el jefe de la Guarnición Española de la Isla de Pinos. Miles de mujeres americanas enviaron cartas a la Reina Regente de España para que liberase a Evangelina." (Del New York Journal).

"La tal Evangelina, junto con cuatro cómplices, intentó asesinar al jefe militar." (De los periódicos españoles).

"Nuestros reporteros han liberado a Evangelina de su cruel cárcel." (Del New York Journal).

"Evangelina se ha evadido". (Fuentes españolas).

***

15 / 9 / 2001

Buenos días, Evangelina:

Luz sabe defenderse muy bien ella sola, no necesita de mi ayuda. ¿Qué te hace pensar que yo esté pendiente de ella? No sé qué complejo le impide recibir mi apoyo, cuando yo ya he aceptado todo lo que me dice: que su tatarabuelo y mi abuelo son la misma persona.

Parece ser que ahora le está favoreciendo la suerte y empieza a trabajar en la Seguridad Social haciendo sustituciones. Se ve que aspira a conquistar aquí el puesto que había dejado en

Pinar del Río. Precisamente yo le pregunté por el motivo que la trajo a España, que la hizo dejar un lugar en donde ya estaba asentada. Es una pregunta indelicada que no debiera haber hecho. Es la pregunta típica del habitante del mundo desarrollado a los que tienen estrecheces económicas. Pero lo raro de Luz es que no culpa de las necesidades al régimen que se mantiene en La Habana, sino a los países imperialistas (entre ellos nosotros), que vivimos a costa del subdesarrollo de los demás. Con el poco dinero que gana, aún puede ahorrar para enviar unos euros a sus padres y hermanos con los que aliviar sus carencias.

El material que enviaste fue motivo de una larga conversación con mi sobrina, que me ilustró sobre algunos aspectos que yo aún desconocía. Por ejemplo, me explicó que muchos dueños de ingenios se avinieron a la abolición de la esclavitud porque ya no les eran rentables los esclavos y esperaban que el Gobierno les indemnizara por el capital perdido en la compra de esos hombres. Por lo visto, las nuevas máquinas eran más productivas en el cultivo del azúcar y el café. Los hacendados se quejaban ante las autoridades de que podían caer en la ruina. No podía haber abolición si no había indemnización.

Luz también me estuvo hablando del reglamento que regía en casi todas las haciendas. Y supongo que, aunque algunas órdenes religiosas tuvieran esclavos, éstas no aplicaban esas reglas tan estrictas que regían para los ingenios. Por ejemplo:

En las plantaciones no se dejaba a los esclavos hablar entre ellos. Era una forma de impedir que se pudieran organizar y, a la postre, rebelar.

Se dedicaban a las tareas agrícolas más duras, al menos durante dieciséis horas diarias.

No conocían otro territorio que el de la plantación, no se les dejaba salir de ella.

Cada plantación celebraba el día de descanso en una jornada distinta. Nada de celebración del domingo ya que los esclavos no tenían derecho a asistir a misa. El objetivo era que los esclavos de una plantación y otra no se conocieran y, por tanto, no se organizaran.

Los amos estaban interesados en que las hembras se quedaran preñadas como un modo de ampliar su capital. Ellas se oponían al deseo de los dueños ya que el poseedor del recién nacido era el señor de la hacienda, quien lo podía vender cuando quisiera.

A las hembras se las apareaba con cualquier macho que se considerara portador de una buena simiente.

No se les dejaba formar familia.

Me impresionó el relato que me hizo Luz. Me gustaría, si te es posible, que me ampliaras la información sobre este tema. Concretamente, que me hables de la convulsión que debió producirse en esa gente a la que, de la noche a la mañana, se le dio libertad y "apáñatelas como puedas". Como ya no los necesitaban, los amos los arrojaron a los caminos, sin techo, sin comida, sin protección de nadie. Sólo contrataban a unos pocos como complemento de las máquinas. Había un deseo de blanquear la isla y no les habría importado que hubieran desaparecido todos los negros.

**

—Estuvieras solo o acompañado, las noches, durmiendo al raso en la manigua, eran largas y te hacían dar muchas vueltas a la cabeza. Te daban mucha congoja y deseabas estar, con todas tus fuerzas, junto a la madre que te había parido. Y no te digo nada si te encontrabas en medio de una cuadrilla de enfermos que agudizan sus quejas en esas horas de silencio, te daban ganas de llorar. A lo mejor era porque les había tocado a ellos, y no a ti, la desgracia. A lo mejor era porque sabías que un día te iba a tocar a ti la papeleta de la que jugabas tantos números e ibas a dar también gritos de agonía en las tinieblas. Por eso yo procuraba acogerme tanto a mi nueva familia. Sebio era como el padre que a mí me hubiera gustado tener. Gina era como la tía que te dice cada cinco minutos que tienes que comer más porque estás en los huesos. Se esmeraba para que no me faltara alguna cosilla que llevarme a la boca.

Yo creo que se sacrificaba tanto por mí como por sus hijas. Y yo supe siempre corresponder a esa familia, niño, nunca fui un desagradecido. Si ellos me apreciaban, yo les correspondía con la misma moneda. Las mozas de la casa eran como mis hermanas. Cuando seas un poco mayorcito te darás cuenta de lo que te quiero decir, porque el trato con las muchachas encierra muchas picardías y yo no estaba por la labor de mirarlas así. En todo momento las defendí de los hombres, como si hubieran sido de mi misma sangre. Las mujeres son una presa muy preciada para el hombre y, si no hubieran tenido al padre o a los hermanos para defenderlas, pronto habrían caído bajo las garras de algún varón. En el caso de las Regalado, yo podía tomar dos caminos: portarme como cualquier hombre e ir a por cualquiera de las hermanas, que estaban como caramelos, o considerarlas como mis hermanas y defenderlas a toda costa. No te creas que fuera cosa fácil, pues muchos compañeros andaban revoloteando a mi alrededor, diciéndome picardías de las zagalas, en parte para regocijarse pensando en ellas y, en parte, para ver por dónde iban los tiros en mi relación con ellas. "¡No te quejarás de las mulatas con las que te toca dormir! ¡Menudo cuerpo tienen que tener cuando se desnudan!" "Bien que harás tal y cual con ellas". Cosas que a mí no me hacían mucha gracia, porque lo que ellos querían saber era si yo copaba a alguna de las muchachas y dejaba el campo libre para la otra. Pero yo no soltaba prenda. Además, cuando me hablaban así, yo ponía cara bien seria para que vieran que no se podían propasar en sus comentarios. Que verás lo que pasó con un tal Ramiro, uno que se consideraba a sí mismo por encima de todos nosotros. Porque fuera de Madrid y empleado en una carpintería, no tenía que considerarnos de menos a todos los demás. No sé cómo olfateó el tal Ramiro que las muchachas, unas veces la Luchi y otras la Drea, salían por la noche. A lo del huerto, ya sabes. Pero él creía que acudían a alguna cita y quiso sacar provecho del lance. Llegaría, digo yo, a esa conclusión después de estar acechando día y noche nuestro bohío. Y fue con la Luchi con quien quiso refocilarse. Supuso que iba al encuentro de algún hombre y, antes de que eso ocurriera, la atacó. Fíjate, en medio de la oscuridad y sin nadie que defendiera a la chica. ¡Menos mal que yo me olisqueé que algo raro pasaba y salí esa noche a vigilar! Aunque tengo que aclarar que no era la única noche en que lo hacía. Como al madrileño todo se le iba en plumas, en cuanto vio que yo iba derechico a defender a la chica, dejó a la moza, por muy encerrizado que estuviera con ella, y salió con el rabo entre las piernas. Menos mal que ocurrió así la cosa que, si me llego a cargar a ese hombre, habríamos tenido un gran dolor de cabeza cuando nuestros jefes se hubieran dado cuenta por la mañana. Hasta puede que la hubieran tomado con los bateyanos, culpándolos a ellos de la muerte de un soldado y reclamando venganza. Por muy rayaditos que fueran los pobladores de aquel batey, los hubieran considerado traidores y no hubieran tardado una hora en arder todos aquellos chozos, como teas. Ya te digo, las cosas ocurrieron de otra manera para el bien del madrileño, del mío y de todos.

—Abuelo, ¿por qué dice usted que iban a culpar a los habitantes del poblado? En caso de que hubiera matado a su compañero, ¿no lo iba a declarar?

—Es que, aunque me hubiera declarado yo culpable, ¿cómo explicar la presencia de una mujer, a esas horas de la noche, en el descampado? Ocurriendo las cosas como ocurrieron, no hubo más lío, el agresor soltó a su presa y se puso a correr como un galgo. Al principio, no le pude dar caza por el tiempo que había perdido echándole un vistazo a Luchi, por si se encontraba mal, pero cuando vi que ella no había sufrido ningún percance serio, salí tras el atacante, como era mi deber de gratitud hacia aquella familia. Y me dejé llevar por el coraje que se me puso en todo el cuerpo. Así fue como conseguí atrapar a Ramiro. Era como si me hubieran puesto alas en los pies. En esos momentos, iba tan caliente que se libró el chuleta de no sucumbir sólo por los pelos. Que no era el ser racional quien obraba en mí, sino el animal salvaje a quien habían robado su presa. Cuando di alcance al madrileño, ya estábamos los dos agotados de tanto correr y, después de soltarle cuatro sopapos, la cabeza me aconsejó no pasar de ahí si no quería buscarme un buen lío. Porque, ¿si tan sólo lo hubiera dejado malherido? Con pensarlo, ya se ponía el miedo en el cuerpo. Veía la cara del sargento que, además del castigo con que me pudieran obsequiar, me iba a quitar el puesto de correo, con el que yo me encontraba tan a mis anchas. Eso sí, hasta que no vi que el gallete tenía deshecha la cresta, que estaba amedrentado y que no iba a volver a las andadas, no paré. "Como vuelvas a poner los ojos en esa muchacha, no lo cuentas. No creas que ibas a salir tan bien parado como ahora". "No te pongas así, que no es para tanto. Aquí todos estamos pasando la misma necesidad de mujer. Y, cuando se presenta una ocasión, comprende que uno no la va a desperdiciar". "Con esas chavalas no hay ocasión que valga porque tienen quien las guarde". "Pero no seas avaricioso. Cógete una y deja la otra para los demás". "No tengo porqué escoger. Las dos son como hermanas y no las toca nadie si no es con todos los reglamentos y bendiciones que requiere la ley".

—Abuelo, ¿y por qué no denunció usted ante sus jefes al mal compañero que quería abusar de la debilidad de una mujer?

—¿No sabes que los chivatos están muy mal vistos en todas partes? Además, era perder el tiempo ya que no iba a traer ninguna consecuencia para el agresor. Tengo que reconocer que a las gentes de allí no se las respetaba mucho. Por lo menos, las mulatas no estaban a la misma altura que si hubieran sido españolas. ¿Qué le hubieran podido hacer al madrileño si hubieran sabido de su falta? Una nadería. Y yo hubiera quedado mal, por chivato, ante todos mis compañeros.

—¿Usted se hubiera quedado a vivir con esa familia?

—Bueno, eso es hacer muchas cuentas en el aire. Reconozco que, en aquellos instantes, yo estaba muy ofuscado y no me hubiera importado unirme a ellos, con todos los tratos y bendiciones que hubieran hecho falta. Y no lo digo porque hubiera caído en la trampa que la naturaleza pone a los hombres: uno se vuelve loco por una mujer y está ciego por todo lo que se interponga en su deseo. Yo no llegué a sentir tal pasión por Luchi sino cariño. Y también obligación con aquellos que me estaban tratando tan bien. Me hubiera echado la manta a la cabeza si las circunstancias no me hubieran llevado por otros caminos. Me hubiera olvidado de que aquí estaba mi verdadera familia esperándome. Me hubiera olvidado de que en mi pueblo había dos o tres mozas que me hacían tilín y que, con una de ellas, podría formar una familia como Dios manda y recibir la aprobación de los míos. Casarme con Luchi era renunciar a volver a los que me habían dado el ser y a mis hermanos de sangre. ¿Cómo me iba a presentar yo en mi barrio con una mujer de piel café con leche y unos hijos de igual color? Eso en el caso de que la fortuna me hubiera favorecido y hubiera reunido los suficientes caudales como para poder volver a la Península a visitar a mis familiares. En muchas noches serenas, cuando los acontecimientos me hacían dormir al raso, todas esas ideas me galopaban por dentro de la cabeza. Algunos compañeros, cuando notaban en mi cara las dudas, me decían: "A ti lo que te pasa es que te tienen encoñado esas mujeres. Estás en la etapa de ver las uvas maduras y no tener más que alargar la mano para cogerla. ¡Cógela de una vez y verás cómo se te pasan esos tiquis miquis que te rondan en la cabeza!" Eran gentes un poco bestias y sin ningún miramiento. A mí, en cambio, siempre me ha gustado la formalidad. Si yo hubiera tenido estómago, puede que me hubiera recreado con los tres cuerpos de diosas con las que compartía recinto. Pero nunca me ha gustado aprovecharme de la situación. Podía haber intentado gozar de esas hembras si yo hubiera sido un pícaro. Ya sabes que dormía en el bohío, al ladito mismo de ellas, siempre respetándolas. Cuando seas mayor, comprenderás el sacrificio que había de hacer tu abuelo. Que hay que ser muy hombre para dominarse, viendo entre sombras cómo se desnudaban aquellas mujeres, uno se tenía que poner bozal para que no saliera fuera la bestia que tenía dentro. Te digo que hay que ser muy valiente para dominar a esa bestia. Menos mal que me ayudaba la buena voluntad y el agradecimiento que le tenía a esa gente. No ibas a morder la mano que, además de alimentarte, te cuidaba con todo esmero para librarte de enfermedades, como en el caso de las ninguas.

***

20 / 9 / 2001

Querido Basi:

¿Ves? Estimar también significa sufrir. ¡Con lo tranquila que vivía yo! Ahora me estoy preocupando por si no has pasado buena noche, por lo de tus molestias del riñón, etc. Antes de iniciar nuestra relación, hubieras debido decirme que eres un cabezón que haces lo que te viene en gana, sin tener en cuenta los consejos de los que te queremos bien. En definitiva, que me dejabas padeciendo por ti.

***

"Menú de la cena que ofreció el Alcalde de Jerez a los representantes de las fuerzas vivas de la ciudad: ostras ostende / Rabo de toro a la inglesa / Salmón en salsa holandesa / Filetes de ternera braseados, con guarnición de puré de espinacas / Fiambres / Paté de foi grase a la bella vista / Capón cebado al jugo / Jamón de bellota y chicharros / Espárragos de Aranjuez con salsa blanca. Postres: Victoria kay con crema caliente / Helados de fresa y mantecados." (Del periódico local de Jerez 1 -1- 1897)

***

8 / 10 / 2001

Querida Evangelina:

Te repito que me sé cuidar solito y hasta ahora no he necesitado la ayuda de nadie para salir adelante. Sin embargo, te agradezco tu preocupación aunque haya sido en balde.

***

—¿Qué es eso de las ninguas?

—¿Ves? Un motivo más para estar agradecido a Luchi. ¿Recuerdas que ya te he hablado otras veces de esa enfermedad? ¿No lo recuerdas? ¡El teniente ese al que repatriaron a la Península! Es que te cuento las cosas y luego se te olvidan. Si las pulguillas no se cebaron en mí, fue porque ella me cuidó, sin necesidad de ir al hospital. Cada día me examinaba la piel, sobre todo la de los pies, para ver si habían anidado los bichillos esos. No sé lo que pasaba, pero parecía como si los bichejos nos prefirieran a los blanquitos más que a los negros, mulatos y rebeldes en general. Era como si tuvieran un pacto con los animalillos para que a ellos no los atacaran. Porque, fíjate, nosotros los españoles íbamos calzados con alpargatas de suela de cáñamo y los enemigos casi todos iban descalzos. Éramos muchos los atacados por la enfermedad. Alguna que otra tarde Luchi me hacía sentar en una piedra plana, a la puerta de su bohío y se dedicaba a mirarme casi todo el cuerpo. Empezaba por los pies, subía por las piernas y así hasta la cabeza. Si descubría algún nido, pronto lo eliminaba. Después, untaba un ungüento de fabricación propia, que me cicatrizaba las heridas producidas por la aguja al escarbar en mi pellejo. ¡A ver si no es de agradecer una cosa así!, que no hubieran hecho ni mi madre ni mis hermanas. Es que aquí, en nuestra ciudad, había otra clase de trato y de cariño entre las gentes. Allí hay más intimidad entre las personas, son más melosos y toqueteadores. Ya ves que, entre unos cuidados y otros, a lo mejor me salvaron la vida la familia de mulatos. Cuánto me gustaría saber de ellos. Puede ser que ya hayan muerto todos y no haya nadie que se acuerde a mí. No te extrañe nada. Si no fuera porque se me hace tan cuesta arriba ponerme en marcha para hacer un viaje tan largo, no te sorprenda que algún día me líe la manta a la cabeza y lo haga. Me gustaría encontrar a algún miembro, de los que queden, de la familia Regalado y darle un abrazo. ¡Vaya que sí! Ahora que estoy tranquilo y tengo todo el tiempo del mundo, sueño con que hago ese viaje; aunque luego despierto y me doy cuenta de que no soy más que un viejo que ya no está para esos trotes.

—Abuelo, ¿por qué no se carteó con ellos cuando hubo vuelto a nuestra Patria?

—Porque el cartearse no se estilaba entonces, ya te lo he dicho muchas veces. También resultó que yo me había repatriado con cierto cargo de conciencia hacia mis protectores. Los Regalado, desde luego, me animaban a que me quedara allí. "Quédate, chico, que aquí tu puedes labrarte un porvenir". Siempre me lo decían y creo que, cuando me vine para acá, quedaron un poco disgustados. Seguro que sentían haber perdido un hijo.

—Abuelo, además de su familia, que dice usted que tiraba tanto para que volviera, ¿no tendría usted alguna novia esperándolo? O alguna chica a la que hubiera echado el ojo y se estuviera acordando de ella allá en su guerra.

—Hombre, no te digo que no. Pero no fue ese el motivo, por lo menos no el principal, que me devolvió aquí. Mujeres las hay por todos sitios y con cualquiera de ellas se podía formar un hogar. Pero, sí. No te digo que no me hicieran los ojos chiribitas cuando me cruzaba con algunas zagalas del barrio. Y, a más de dos, ya las tenía señaladas. Entre ellas a la abuela. Que, respecto a las mujeres, hubo un tiempo en que se metieron en mi cabeza un sinfín de confusiones. Por una parte, me gustaban las cubanas, que te encendían la sangre con sólo echarles una mirada, pero por otra, me parecían un poco indecentes como para unirse a una de ellas para toda la vida. En cambio, las de aquí me parecían decentes y cabales, pero sin la gracia que se necesita para incendiar a un hombre. Eso es lo que pasa, creo yo, al que se ve con la necesidad de salir de su tierra, que además de costarle aclimatarse al nuevo suelo, más le cuesta adaptarse a las costumbres que encuentra. Y, cuando ya se está acostumbrando, vuelve a su tierra y no se encuentra a gusto ni con lo de aquí ni con lo de allí. Si te digo la verdad, Cuba me dejó un regusto en el cuerpo y muchas de las cosas que he hecho en este mundo han sido con la vara de medir de lo cubano. A tu abuela, que en paz descanse, siempre le tuve apego porque era buena, trabajadora y cumplidora de su deber, pero no me mostró en toda su vida el ardor que yo apreciaba en la personalidad de Luchi.

***

10 / 10 / 2001

Hola, Basi:

Me gustan todas esas narraciones que llevas a Culturalia, sobre la vida guerrera de tu abuelo. A mí también me agradaría poder liberarme de cierta vergüenza que me embarga y hablar con tanto desparpajo de Rogelio Sorozábal. Porque, si bien es verdad que tuvo su parte positiva y hasta heroica, también tuvo la negativa y rastrera. Ésta es la que me impide mencionarlo abiertamente. Ésta es la que no deja salir a la superficie los actos grandiosos, que también los tuvo, y que le valieron para ganar justamente sus medallas. Precisamente él participó en la muerte de Maceo, aunque no es uno de los hechos de los que más me enorgullezca. Más me complace recordar aquel en el que, gracias a su acción, pudieron ser rescatados unos cuantos hombres, rodeados por el enemigo mambí, arriesgando su vida sin miramientos de ninguna clase. Sólo el ansia de liberar a sus camaradas le hizo traspasar el cerco en un acto que podría tildarse de locura. De eso tengo constancia por los documentos que he rescatado y que hablan concretamente de ese acto.

El grupo mandado por el capitán Romero había caído en una emboscada que las tropas mambisas le habían tendido en la oscuridad de la noche. Los hombres que permanecían más profundamente dormidos sucumbieron al asalto. Solamente se salvaron los que dormían con un solo ojo y oyeron al enemigo. Ésos, los supervivientes, pudieron huir y refugiarse en un bosquecillo. Pero, al amanecer, se dieron cuenta de que estaban sitiados. No había forma de escapar de esa ratonera. El subteniente Sorozábal se prestó voluntario para escapar del cerco y pedir refuerzos para liberar a los sitiados. El capitán Romero se oponía a que mi abuelo saliera de la trampa por dos motivos: porque le tenía mucho aprecio y porque sabía de la temeridad del suboficial, capaz de sobrevivir a la acción y minusvalorar así la fama de su superior. Además, en caso de que muriera el subordinado, siempre podría quedar la sospecha de que el mando inferior había sido más valiente que el superior. De manera que Rogelio hasta tuvo que insolentarse con su jefe. "¿Es que prefiere usted, mi capitán, que muramos todos por no dejarme intentarlo?" De esa manera Rogelio tuvo el consentimiento del capitán para arrojarse a esa acción casi suicida. Pudo infiltrarse en las filas enemigas y, cuando estaba a punto de escapar, fue detectado por un mambí con el que hubo de luchar, cuerpo a cuerpo y darle muerte. Ya nada se oponía a su escapatoria. Salió corriendo, pero en ese momento apareció otro rebelde que lo hirió con su machete en el brazo izquierdo. Aun así pudo eliminar al enemigo y huir, ahora con éxito. Lo que pasó es que cada vez se sentía más débil a causa de la herida, pues iba perdiendo mucha sangre. Si no hubiera sido por la voluntad de hierro que poseía, no habría sido capaz de llegar hasta la comandancia del distrito. Llegó al puesto de mando medio muerto; le quedaban las fuerzas justas para explicar la situación en que se encontraban sus compañeros sitiados para que acudieran en su auxilio. Mi abuelo se pasó setenta días luchando entre la vida y la muerte, evacuado en un hospital de Pinar del Río. Gracias a que tenía la fortaleza de un roble, fue capaz de recuperarse.

***

Los periódicos españoles replican a los norteamericanos:

"El problema cubano no tendrá solución hasta que no enviemos nuestro Ejército a Los Estados Unidos." (EL PAÍS).
   "Declaremos la guerra." (EL CORREO ESPAÑOL).
   "Vemos con pesimismo la llegada de la guerra." (LA VANGUARDIA).
   "Inútilmente intentará taparse las narices, o tapar la atmósfera de perfumes para disipar el hedor del pigmento que difundirá el negro con el que tendrá que entenderse en pie de igualdad." (El NACIONAL advierte a Moret).
   "La Autonomía es el abandono y la renuncia." (EL NACIONAL, referente al Proyecto de Autonomía para Cuba de Sagasta).

***

20 / 10 / 2001

Querida Evangelina:

A veces puedo parecer brusco al expresarme con tanta contundencia. Te pido disculpas por ello. No obstante, quiero decirte que debemos aceptarnos tal como somos porque también nosotros tenemos nuestros defectos y nuestras virtudes. Debemos aprender a contrastar la idealización con la realidad. No somos ángeles ni seres perfectos. Más vale expresarse con espontaneidad –en aras de la libertad individual– que ponerse la máscara de la hipocresía en el trato con las personas que tienes a tu alrededor.

***

—Andar para arriba y para abajo, me dio cierta orientación del terreno. No tanta como yo hubiera deseado porque, con el enredo de manigua y montes, te veías como una mosca dentro de una telaraña y no sabías por donde salir. A mi corto entender, eso de las comunicaciones era uno de los grandes problemas con los que se enfrentaba nuestro Ejército. Por lo visto, los oficiales no sabían moverse más que por lo que le indicaban los papeles. No era como en la Península, donde están pintados los caminos y la gente los conoce de toda la vida. De lo que gozaban los seguidores de Maceo y Gómez es de saberse de memoria todos los caminos de la isla. También sabían comunicarse sin dificultad los recados. No sé cómo lo hacían, pero lo conseguían. Se comentaba que lo hacían a través del humo o con silbidos especiales. ¡Qué sé yo! Nosotros, en cambio, parecíamos patos mareados. Con todos los aparatos modernos de que disponíamos y no los podíamos utilizar. Si no hubiera sido por mí y tantos como yo, que hacíamos de correo, no hubieran podido llegar las órdenes de un sitio a otro. Ya te conté cómo los mambises se reían de nosotros cortándonos los hilos del telégrafo o cazando nuestras palomas mensajeras. Habían adiestrado a unos pajarracos que neutralizaban a las palomas, así se enteraban de nuestros recados. Lo único que dicen que marchaba un poco mejor era eso de los espejuelos que reflejaban el sol, pero no siempre se podía utilizar, pues podía pasar que faltara la luz. Y que ese aparato era para distancias cortas, no para grandes superficies, como es necesario en las guerras. Claro, pasaba lo que pasaba, que muchas veces sufríamos derrotas sin necesidad. Es lo que pasó con la sección en donde servía Manolo, un muchacho de la parte de Soria. Salieron de exploración y nunca más se volvió a saber de casi ninguno de ellos. A ese muchacho lo conocí y llegué a tenerle aprecio porque cuando yo llegaba a su puesto con mis correos, siempre me recibía y me preparaba el camino para ir al teniente Agapito Navarro. En fin, que, del roce de un día y otro, hicimos amistad. Cuando me enteré del desastre del que había sido víctima el muchacho, tuve un gran disgusto. Me lo debí haber llevado por todos los desaparecidos, pero la vida es así, al que más aprecias es al que más sientes. Porque cuando es una cosa más cercana, empiezas a darle vueltas a la cabeza, "¿cuándo me tocará a mí?" Ah, sí, que estábamos con lo de Manolo. Iba de exploración un grupo de unos veinte soldados, al mando de un sargento. Fue por los días en que andábamos en mi sector a la busca de un hombre muy importante de las fuerzas de Maceo. Había que estar con cien ojos respecto a ese hombre, que era capaz de atravesar la trocha con todo su Ejército, era igualico que el Diablo. Pues bien, el grupo de Manolo cayó en una emboscada de esos mambises y no se volvió a tener noticias de él. No se sabe si los asesinaron a todos o los hicieron prisioneros. Bueno, el asunto es que desapareció todo el grupo, menos dos soldados que, después de dar muchas vueltas, pudieron regresar y contar lo que creían haber visto. Si no hubiera sido por esos dos testigos, no se habría podido deshacer el bulo de que habían caído en una sima y se los había tragado la tierra. Se ve que se pusieron a perseguir a un grupillo mambí, sin notar que estaban cayendo en una trampa. Tenían la misión de observar el terreno, anotar por dónde pasaban los caminos y pintarlos en la libreta de campaña, ¿por qué se dejaron engatusar por cuatro desarrapados que se les pusieron a la vista y que juguetearon con ellos? Creo que el sargento que los mandaba no tenía muchas luces, porque ordenó seguir al enemigo. Y el grupo mambí los llevó por donde les dio la gana. Pretendían entretenerlos hasta que oscureciera y preparar el terreno para atacarlos a traición, en la negra noche. Los que no murieron se ve que fueron hechos cautivos. Era una cosa que nunca había pasado; lo normal era que los rebeldes atacaran nuestro campamento de noche, causaran unas cuantas bajas y se retiraran sin más. Esta vez no fue así e hicieron prisioneros a los españoles. Había quien opinaba que era inútil salir en busca de nuestros compañeros porque ya les habrían cortado el cuello a todos. Otros eran más optimistas y decían que se los habrían llevado a un campo de cautivos con el fin de hacer intercambios de rehenes. Ya te digo, de Manolo y sus compañeros nunca se volvió a saber. ¡Sepa Dios lo que comunicaría el Mando a esas familias! Las guerras es que son muy malas; no sólo vas perdiendo a los amigos, sino a muchas otras personas con las que te empezabas a encariñar. Porque, cuando ya estaba en el campo de prisioneros esperando a que nos repatriaran, yo me preguntaba, ¿qué habrá sido de fulano y mengano? Me picaba la curiosidad tanto que hubiera dado cualquier cosa por saberlo.

Alguna vez, durante mi vida, he tenido el sobresalto de encontrar a alguien, paisano de aquel amigo de quien perdí la pista en Cuba. "Hombre, ¿es usted de Medina Sidonia? ¿No conocerá usted por casualidad a Domingo Castaño, que hizo la guerra conmigo? Sí, hombre, sí, lo tiene que conocer. Tenía un lunar muy grande en la parte izquierda del cuello. Moreno, alto y bien parecido". "Lo siento, pero no lo conozco". Eso de no saber si un amigo ha muerto o no es peor que tener la certeza de que ha fallecido. Lo de la desaparición de Manolo se me olvidó un poco con lo de las fiestas que celebramos en la trocha como consecuencia de la muerte de Maceo. Parecía como si todos celebráramos el fin de la guerra. ¡Cuántas alegrías que luego se convertían en desilusiones! "Ya se les ha acabado la bicoca del hombre invencible", comentaban en nuestras filas. "A ver qué hacen ahora sin su caudillo". No sé de dónde habían salido los dulces de miel, la carne y el ron, pero recuerdo que nos pusimos como el Quico en aquellos días. Y cada quien contaba su versión más salida de madre de cómo había resultado la muerte de aquel hombre. Los había que aseguraban que el coronel Cirujeda, con un batallón entero, estaba pisándoles los talones al Titán de Bronce. Por los servicios de espionaje, se tenía noticia de que el Caudillo pretendía atravesar la trocha. Esta vez no tendría escapatoria. Pero fracasaron los planes y el jefe mambí la atravesó. Al saber de esta noticia, corrió el desánimo en las filas españolas. Aún así se seguía teniendo confianza en el coronel Cirujeda.

Este hombre había salido airoso en otras misiones que ya se creían perdidas. ¿No había sido capaz de sacar a un grupo de hombres, del cerco mambí, en donde parecía que iban a ser aplastados? Efectivamente, esta vez tampoco nos decepcionó el coronel. El batallón de Cirujeda, además de todos los adelantos en el tema de guerra, también tenía un servicio de espionaje muy aparente. Se enteró de que el caudillo había atravesado la trocha junto a un puñado de sus hombres. Por lo que comentaban, lo había hecho por el mar y en una noche muy oscura. La suerte para el coronel fue saber que el jefe enemigo se encontraba escondido en San Pedro, pero aún había que encontrarlo. Entre el séquito de Maceo, también estaba un hijo del general Gómez, por lo que habrían de obtener un buen botín si lograban dar con ellos. El coronel desplegó por todas las calles, por todos los rincones, a cuantos hombres pudo, con el fin de hallar algún cabo suelto con el que deshacer el ovillo del escondrijo. En aquella misión, según me contaron, murieron muchos hombres nuestros.

A ti te parecerá que el oficio de espiar es cosa fácil, pero meterse en esas calles y en esas casas, en una ciudad plagada de enemigos rabiosos, es como meterse en un nido de víboras. Pero aún a costa de tantas vidas, se pudo dar con el paradero de los buscados. Y se preparó un asalto a la casa en donde se escondían. Parecía todo tan sencillo como volver la hoja de un libro. Pues no creas, niño, porque ellos también tenían sus informantes y supieron de la invasión al refugio de Maceos y sus hombres. Pusieron a todos los suyos, que eran miles y miles, en guardia para cuando atacaran nuestras tropas. Y eliminaron a la primera remesa de nuestros asaltantes a base de pedradas lanzadas desde los tejados y aceite de palma hirviendo… En fin, supieron crear un infierno para aquellos que se atrevieran a acercarse. Pero como la casa escondite ya estaba localizada, no hubo más que llevar muchos más soldados para arrasar las calles de los alrededores hasta llegar al núcleo rebelde. Así nos deshicimos de ese hombre del que se contaban tantas hombradas. Pero ahí no terminó la cosa, porque después de tantas alegrías y celebraciones, después que nos las prometíamos tan felices, vimos que la guerra no se habría de terminar aún. Según se rumoreaba, el hombre que había matado el coronel Cirujeda no era Maceos, sino otra persona que se le parecía mucho. Habían puesto al sustituto en esa casa con el fin de salvar al verdadero. Y nosotros nos empezamos a desanimar porque creíamos que el rumor era cierto. ¿No seguía la lucha de los mambises como si tal cosa? ¿No decían antes que, si moría el Titán de Bronce, se acabaría la rebelión? Nunca me pude enterar de si era verdad que ese hombre había muerto o no.

***

12 / 10 / 2001

Hola, Basi:

Supongo que por lo menos tendrás tiempo para leer este mensaje y contestarme. Por lo demás, poca atención me prestas últimamente. ¿Ves cómo tenía yo razón y hubiera sido mejor permanecer en el rol que manteníamos antes? Me temo que, a este paso, pronto considerarás que yo no he sido más que una conquista de tantas que añadir a tu lista particular.

Casi se me han quitado las ganas de continuar contándote cosas. No obstante, soy fiel a mi palabra. Desde luego, no quiero mezclar nuestra faceta de colaboración documental con nuestros sentimientos. Haré, en este sentido, como si fueras un extraño.

***

"Los proyectos de ultramar fueron presentados anteayer tarde en el Senado por el Sr. Ministro del ramo. Se refieren a la suspensión del pago de los cupones de las Deudas del

Tesoro de Cuba. (La Vanguardia 26/2/1892)"

Se ha confirmado que el Minostro de la Guerra, Ser. Azcárraga, ha mandado fortificar las islas Canarias, por temor a una invasión yanqui. Esta medida ha sido muy aplaudida porla opinión pública. (La Vanguardia 26/2/1892)"

***

24 / 10 / 2001

Querida Evangelina:
Como te he dicho antes por teléfono, no comprendo por qué te enfadas así conmigo. Que sea independiente no quiere decir que no te haga caso y, mucho menos, que no te quiera. No obstante, hablando se entiende la gente, podemos llegar a un acuerdo en el que los dos cedamos un poco y llevemos una vida en común de lo más satisfactoria.

***

—Lo que no me puedo explicar, niño, es cómo el cuerpo humano tiene tanto aguante. Y no lo digo por mí, dentro de todo el sufrimiento que tuve que pasar, me pude ir bandeando. Lo digo por toda esa gente que aún pasó más necesidades que yo, que aguantó más días sin probar bocado y tantos otros padecimientos. No te estoy hablando sólo de nuestras filas, sino de tantísima gente campesina reconcentrada en las ciudades. Era gente que no tenía nada que ver con los rebeldes. A mí me daban mucha lástima porque tenían el mismo oficio que yo. Por eso evitaba tanto ir a ciudades como Morón o Santa Clara, que estaba muy retirada de mi puesto. Lo que pasa es que, siendo un mandado del Ejército, no contaba para nada la voluntad de uno. Si te mandaban ir a una de esas ciudades, no tenías más remedio que obedecer. Quien haya visto las cosas que yo vi allí, queda curado de todos los espantos. Cuando llegabas a la ciudad, encontrabas a miles de personas tiradas por las calles, tan desmayadas, que no tenían fuerzas para levantarse y pedirte una limosna. Apenas levantaban el brazo y estiraban la mano con gesto de demandar unos céntimos por caridad. ¡Y a buena gente le iban a pedir! Los que circulábamos por la vía pública no teníamos mucho más que ellos. ¿Cómo podrían aguantar esos pobrecicos tantos días sin llevarse nada al estómago, antes de morir? Los pocos animales que los campesinos se habían llevado con ellos a la capital hacía tiempo que habían desaparecido. Ahora, cualquier persona hubiera luchado a muerte por un hueso pelado.

Una de las escenas más impresionantes eran las colas que se formaban en las puertas de los cuarteles, de los conventos, de las iglesias, donde pudieran repartir algo con qué engañar a tanto estómago en paro. La primera vez que tuvieron que contemplar mis ojos tanta desgracia, me prometí no volver más a un sitio como ése. Vana promesa, sabiendo que tendría que ir donde me mandaran. Fíjate cómo estarían las cosas, que las gentes hambrientas parecían perros rabiosos peleándose por las sobras que repartían de alguna guarnición. ¡Menudo negocio! Si no teníamos los soldados para comer, imagínate lo que podrían dar de restos. Los hambrientos formaban colas inmensas, aun sabiendo que esos pocos desperdicios no les iban a llegar a todos. Me puse a observar el reparto. Cada cual ponía su cachumbo para que le echaran una paletada de aquella pella fría. El reparto se acabó en una niña. La muchacheja puso su lata y en ella echaron los soldados el último cazo del caldero. Detrás todavía formaba una multitud que se había quedado a dos velas. La zagalilla se apartó a una esquina de la calle dispuesta a comerse aquello que le habían echado. Lo que es la niñez, con tanta hambre que estaría pasando la pobrecita y aún conservaba cierta monería en la cara. De repente, se pone delante de la criaturita un hombre, del que no se podría apreciar si era joven o viejo, sólo se veía que era un esqueleto andante del que colgaban algunos jirones de ropa, que se abalanzó sobre la muchacha y le quitó la comida. La niña empezó a llorar. Otro esperpento de hombre que se encontraba al lado de la chicuela, no sé si porque era familiar de ella o porque esperara así obtener las sobras de las sobras de la nena, se echó contra el ladrón y los dos se enzarzaron en una pelea acorde con las fuerzas que les quedaban. Cómo sería el hambre, que ninguno de los dos sentía el dolor en los cojones. Nadie vencía, pero el cachumbo cayó por el suelo y la comida se derramó por tierra. Eso no fue obstáculo para que los dos hombres, tumbados, se pusieran a lamer el rancho mezclado con polvo, como si fueran animales. La niña, mientras tanto, seguía llorando con las pocas fuerzas que le quedaban y sólo le preocupó, al ver el alimento perdido, recuperar la lata.

Otro de los días que fui a la ciudad, me encontré con la cola formada en la puerta del convento de Santa María. La fila no era tan grande como en los cuarteles, pero también se las traía. Se ve que en los conventos la comida no era tan bondadosa como el rancho. ¡En el país de los ciegos, el tuerto es el rey! Aquí, según me contaron, lo que se daba era un agua hervida con hierbas comestibles y un grano de arroz nadando entre ellas. Pero la gente tenía que engañar al estómago de alguna manera. Que si hubiera habido pienso de los animales, lo hubieran robado para comérselo y eso les hubiera sabido a gloria. En la espera del convento, las persona también se peleaban por esa sopa. Esta vez había un grupo de mujeres que defendían su puesto en la cola con uñas y dientes. Fíjate, niño, que en todas las situaciones, aun en las más miserables, surgen los grupos organizados de matones y malhechores. Por lo que se ve, habían nacido esos grupos con el fin de robar los puestos de las colas y así asegurarse la comida. La gente, como no tenía otra cosa que hacer sino atender al estómago, se dedicaba a hacer colas, acaso desde el día anterior, acaso sin moverse nunca de ellas, con el fin de recoger su cazo con aquella sopa de caridad, llegadas las dos de la tarde. Como puedes deducir, era importantísimo el turno que se tuviera en la cola. Tanto en los cuarteles como en las iglesias, si no se iba a la recogida en perfecta formación, los repartidores se daban media vuelta y no había comida para nadie. No se permitía que los hambrientos se lazaran en manada sobre los calderos. Se ve que los grupos estos se dedicaban a robar el turno a los que tanto tiempo habían estado esperando. Llegaban, se ponían en los puestos delanteros sin miramientos. Nada importaba que los aspirantes llevaran veinte horas de guardia. Nada importaba que incluso llevaran meses conservando ese puesto, porque se tenían que conformar ante la voluntad de los malhechores. Si alguno de los perjudicados se resistía, no sólo se exponía a que lo apalearan, sino a perder la vida.

Yo presencié una rebelión de las colas contra los "robapuestos". Ese día, como era costumbre, llegaron los desalmados y sacaron a las cinco primeras mujeres de la fila. Muchacho, ni que las hubieran pinchado, porque se revolvieron rabiosas contra los golfantes, se les subieron a las espaldas y venga tirarles bocados y arrancarles los pelos de la cabeza. Los malhechores no tuvieron tiempo de reaccionar. Y cuando vinieron los cómplices con la intención de rajar a las sublevadas, no pudieron obrar porque la multitud se abalanzó sobre ellos y los despedazaron totalmente. Eso ocurría con los más sanos, los que aún se podían mover. Había que tener el corazón de piedra para que no te dieran pena. Además, tenía uno que olvidarse de todos los ascos para estar entre ellos en los barracones. Yo lo tuve que hacer porque acompañé a Gabrielete, uno de Pontevedra, que no se atrevía a entrar solo a ese sitio tan repugnante y me enredó para que lo acompañara. En ese barracón al que pasamos, paraban unos paisanos suyos y quería visitarlos. ¿Quieres creerte que, durante toda mi vida, he tenido pesadillas en las que estaba metido en ese infierno? ¡Y mira que han pasado los años!

De entrada, sentías unos olores que te tiraban para atrás. Los encerrados en aquel tugurio se ve que no tenían fuerzas para salir fuera a hacer sus necesidades, o que no les daba tiempo, o que les apretaban las caguetas del mal de barriga. ¡Menudo pestazo se respiraba en el ambiente! A eso, añádele que los que morían por la noche no eran sacados de ahí hasta muchas horas después, soltando también su "perfume". En ese sitio regía la necesidad más que en la propia calle, si me apuras. A mí me pareció que no iba a encontrar a nadie con la mínima fuerza como para poder salir para pedir limosna o ponerse en las colas de las sobras. Si no hubiera sido por unos frailes que pasaban, de vez en cuando, con la famosa sopita, habrían tenido que sacar a los muertos por vagones. En cuanto a la sed, había unas tinajillas, con su cacillo al lado, que suministraban agua al que la quisiera beber. Pero imagina cómo estaría esa agua de la que bebían enfermos y sanos. A pique de que te pegaran mil enfermedades. Para no marearnos, tuvimos que taparnos la nariz con un pañuelo empapado en vinagre. Algunos de los desmayados aquellos, igualico que hacían los tirados de las calles, levantaban la mano por si se nos ocurría socorrerlos con cualquier resto de alimento.

Nosotros no los ayudamos porque reservábamos lo poco que llevábamos para los paisanos de Gabrielete. Por fin, llegamos a ellos: dos mujeres y un hombre ya metidos en edad. Deduzco yo que sería así por los datos que me daba mi amigo. Por el aspecto, allí había poca distinción entre los tumbados en el barracón, esqueletos cubiertos de piel todos. Por las palabras que salieron de las bocas de esas calaveras, supimos que estaban en aquel lugar porque eran campesinos a los que habían obligado a dejar sus cultivos para encerrarlos en ese siniestro lugar y sin que ellos supieran porqué. Lo habían perdido todo, sus animales, sus tierras, aunque guardaban la esperanza de poderlas recuperar alguna vez. Ya ves la inocencia, ¡como si pudieran salir vivos de aquel purgatorio!

Remigio, un buen amigo, también gallego, me contó lo que le había pasado en otra ocasión, en alguna casucha de los arrabales de la ciudad. El gallego era un poco golferas y le gustaba ir, de vez en cuando, a esas casas de mala fama que hay por todas partes. Contaba Remigio: "Muchacho, que voy a la casa esa de la que ya tenía yo conocimiento antes de que pasara por aquí la guerra. Fui allí pensando que iba a encontrar las rapazas de buen ver que encontrábamos siempre. ¡Casi me da un patatús al ver el panorama que encontré! No quedaban más que cuatro armazones con la piel colgándoles de los huesos. Con ellas no podías satisfacer tus deseos por más estómago que tuvieras. Como a alguna de ellas la conocía y me daba pena, le di algún peso y dejé que me hiciera lo que tú ya sabes con la boca, porque así sacaba algún alimento". Por lo visto, las mujeres ponían su honra bajo la tiranía del estómago. Habían tenido tantas hembras este pensamiento, que ya se vendían por tres y nada.

—Abuelo, ¿usted también pasaba por esas casas?

—Mira que lo tenía fácil. Tan fácil como sería ahora ir al estanco a comprar tabaco. Si te acercabas a la ciudad, a cada momento había una mujer que venía a ofrecérsete, por unos céntimos. No era fácil escabullirse de lo que te ofrecían con tanta insistencia y que uno, por la edad, estaba deseando comprar. No te digo que, en algún día de desesperación, no cayera en la tentación, para qué te voy a mentir; pero me resistía la mayoría de las veces. No quería aprovecharme de la situación de ninguna de las maneras. Y más desde que me pasó lo que me pasó.

Iba al anochecer por la calle, tan tranquilo, cuando noté que alguien se me agarraba a la mano, al pasar por una puerta entreabierta, y tiraba de mí como para que entrase a la casa. La verdad es que me dejé llevar, no por el grado fuerza que tiraba de mí, sino por la debilidad que daba lástima. Llegué a una habitación en donde, a duras penas, pude ver a quien había tirado de mí y que ahora me hablaba. Era una niñita que no levantaba medio metro del suelo. La muchachita me ofrecía a su madre, que esperaba en la cama, a cambio de unos céntimos de peso. Yo hubiera salido corriendo pero me daba pena la niña que se había hecho la ilusión del dinerillo. Le di los cuartos y quise marcharme, pero la zagalilla no me dejaba. Quería darme a toda costa la mercancía que había pagado. Por lo visto apreciaba más el comercio que la caridad. Pensaría que, si ahora se quedaba con la limosna, sería pan para hoy y hambre para mañana. El caso es que no me dejaba salir de allí de ninguna de las formas. En fin, que no tuve más remedio que sucumbir a sus deseos. Ya sabes que lo hice por no meter más tristeza en el pecho de la muchacha. Entré en el cartucho dispuesto a fingir que tomaba lo que había pagado en dinero. Si el zaguán estaba tan oscuro que a duras penas nos dejaba ver nuestras figuras, en el cuarto tenías que adivinar el catre en donde parecía dormir la mujer que me esperaba. Como la que se suponía ser la madre tumbada no hablaba, comencé a recelar. "A ver si lo que hay ahí es un tío. ¡Como sea eso, lo rajo! Conmigo no va a jugar". Me acerqué al camastro y noté una peste inaguantable. La atmósfera de la habitación te taponaba la nariz, como si fuera de barro, pero un barro amasado con mierda. Me he preguntado durante toda mi vida por qué seguí adentrándome en ese antro. ¿Cómo es que me dejé empujar por el débil soplo de una cría? ¡Menudo chasco que me llevé! ¿Cuántas veces me he insultado a mí mismo por no darme cuenta de lo que pasaba? Porque lo que ocurría era, ni más ni menos, que me iba a acostar con una muerta. Y de eso no acababa de darme cuenta, por muy mal olor que reinara en la casa. Por muy fría que estuviera la cosa esa que reposaba en el catre. Hasta que no encendí un fósforo y vi la cara espantosa de la que, unos segundos antes creía que dormía, no lo comprendí. Mira que, en aquellos tiempos yo estaba acostumbrado a bregar con la muerte. ¿A cuantos compañeros había visto yo ya fiambres? ¿Cuántos cadáveres, en distinto grado de descomposición, estaban acostumbrados mis ojos a contemplar? Pues ninguno me había impresionado tanto como los restos de aquella mujer. Imagínate, niño, la escena, con la luz parpadeante de la cerilla. Que ahora veo, que ahora no veo esa cara horrible. Por muy hombre que uno fuera, no tuve más que dar un grito de espanto. Y ese grito, yo creo, fue el que despertó a la chavalilla; el que le hizo comprender lo que hasta ese momento no había aceptado: que su madre ya había muerto y que se encontraba más sola que la una en el camino que, también a ella, le conducía a la muerte.

***

28 / 10 / 2001

Buenas noches, Basi:
Otro de los testimonios que poseo de los —llamémosles

locuras o hazañas, como a ti te plazca– actos de guerra en los que participó mi abuelo transcurre en los aledaños del cerro de San Juan, contados por un soldado que participó en esa acción, subordinado del teniente Sorozábal.

Resulta que Rogelio Sorozábal también se distinguió por su conducta ¿suicida?, en la batalla del cerro de San Juan. Se puede decir que él era la esencia de ese Ejército que, durante tantos años, no pudo sofocar a los rebeldes y que quiso justificar sus vergüenzas con acciones heroicas como la de esa batalla contra los yanquis:

***

"...Para saber lo que es luchar de verdad, lo que nos pasó a nosotros en la última batalla que tuvimos con los yanquis. ¡Los americanos sí que eran mihuras! Con sus cañones capaces de bombardearnos a una distancia de varias leguas, con miles y miles de hombres que venían hacia nuestra posición. Empezaron bien temprano por la mañana a asediarnos y nosotros, un puñado de hombres a las órdenes del teniente Sorozábal, venga a aguantar, una y otra vez rechazando a los yanquis. Por la tarde, los americanos, que eran tantos, consiguieron conquistar el Viso desde donde nos podían freír vivos. Para evitar que nos achicharraran a los pocos que quedábamos, el general Vara del Rey, ya herido, ordenó la retirada. Menos mal que mi teniente no tuvo otro remedio que obedecer al general, si no Sorozábal nos hubiera mantenido en la posición hasta que hubiera muerto el último hombre. Sólo unos pocos soldados de las tres compañías del Regimiento Constitución, que defendíamos la posición, pudimos llegar con vida a Santiago. Menos de cien soldados salimos con bien de aquel infierno. Fijaos cómo son las cosas de la suerte, siempre jugando a los dados, que quiso que me salvara. Yo era uno de los hombres que llevaban las angarillas del general. En nuestra retirada hacia Santiago tuvimos que llevar al general por un terreno muy dificultoso y con la tormenta de fuego enemigo encima. Muy a menudo nos relevábamos en la tarea de la camilla. Los cuatro hombres que nos tocó en mi turno habíamos transportado al general herido alrededor de media legua, con que nos sustituyó otro relevo. Pues no habían pasado tres o cuatro minutos, cuando recibió el bombazo el general y sus camilleros. Aunque yo no iba muy retirado del general, me pude salvar cuerpo a tierra. Por suerte, salí de esa con sólo unos rasguños en las piernas. Las cicatrices que me queden, me van a ayudar a recordar el susto durante toda la vida."

***

"La efectividad que cabría esperar de un Ejército tan grande como el nuestro (doscientos cincuenta mil hombres, cifra insólita hasta entonces) se vio lastrada desde el principio por: A) Desproporcionada cantidad de oficiales. B) Yuxtaposición caótica de mandos, ordenando a veces cosas contradictorias. C) Poco más de cien hombres se podían encontrar al mando de siete oficiales a la vez. D) Dificultad de comunicación entre las unidades. E) Falta de caminos y los pocos que había no se podían utilizar por no existir mapas. F) También había una carencia de guías, por lo que nuestros soldados andaban perdidos. G) El servicio de espionaje era muy deficiente." (Del HERALDO DE MADRID).

***

12 / 11 / 2001

Querida Evangelina:

Sigo teniendo interés por saber qué tipo de vida llevaba mi abuelo cuando andaba escondido en la sierra: de qué se alimentaba, cómo era su vida cotidiana. Otras curiosidades que me han acometido, sobre todo desde que me relaciono con mi pariente cubana, es saber cómo se integraron los Regalado en la nueva República Cubana. A ver qué me aclara Luz. Por las pocas palabras que le he oído hasta ahora, deduzco que los Regalado cambiaron de estatus social y que hasta se hicieron urbanitas. Pudieron instalarse en el barrio viejo de La Habana y poner su propio negocio. Y en adelante, ¿la familia pasó a formar parte de la clase media?, ¿de dónde sacaron el dinero?

***

—Mira, niño, las guerras son así, te quedan en la cabeza tus horrores y los que has visto de otros. Ya sabes del apego que le tomé yo a la familia Regalado. En ella me refugiaba. Con ella se me curaban todos los males. Aunque nuestras fuerzas los tuvieran por colaboradores, ellos supieron nadar entre dos aguas y, en último término, el único rayadillo con el que colaboraban era conmigo. Cuando las cosas se ponían feas, sabían encontrar un refugio en la sierra, en donde ninguno de los dos bandos los encontraría. Esa fue mi suerte. Con eso te quiero decir que puede que ellos me salvaran la vida. La vez que los mambises atacaron el sector en donde operaba mi compañía, ¿quién se salvó? Pues nadie, porque Dios no quiso. ¿Que yo estaba de correo y no me pilló la batalla? Eso es verdad, había ido yo con mi misión al puesto 34, un lugar apartado de la trocha. Ese era un sitio estratégico, sobre todo para los rebeldes, porque en el caso de querer atacar ciertos sectores de la trocha, habían de pasar por forzosamente allí. Cuando llegué al 34 aquel día, no encontré más que las huellas de la batalla. Se ve que el enemigo había atacado por la noche y había destruido la posición. Algunos cadáveres de los nuestros, y también algún que otro mambí, andaban espurreados por el suelo del campamento. A mí me entró el tembleque y no supe qué hacer. ¿Podía ir a buscar el mulo y salir a galope hacia mi compañía?, ¿hacia dónde escapar? Temía ir hacia mi sector y encontrar al enemigo allí, atacándonos. ¡Vaya papeleta que se me presentaba! Y lo peor es que no había un alma viviente que me informara lo que estaba pasando. ¿Qué habría pasado con los hombres del 34? Allí había una compañía entera y ahora no veía más que a doce muertos en el suelo. ¿Qué habría sido del resto? ¿Estarían huyendo por esos montes o habrían sido hechos prisioneros? Mala papeleta, en los dos casos. Si andaban perdidos por el bosque se les presentaba difícil el porvenir. ¡Y no te arriendo las ganancias si habían caído prisioneros! Puedes imaginarte lo que se hablaba de los negrazos esos. Que eran unos salvajes. Que en cuanto caías en su poder, si no obedecías la más mínima orden suya, te cortaban el cuello. Que se querían vengar del blanco haciéndolo su esclavo. Que lo único que pretendían era echar a todos los blancos de la isla. Que si te podían cortar los miembros más delicados de tu cuerpo. Que si te obligaban a comer yerbajos de la manigua, tratándote como a una mula. Que si te tenían expuesto a la intemperie, día y noche, hasta que morías podrido. En fin, que yo no debía, bajo ningún concepto, caer prisionero.

Cogí tanto pánico que me daban envidia los muertos, porque ya habían dejado de padecer. Para qué te cuento la precaución con la que volví a mi compañía. Pero, que si quieres arroz, Catalina. En lo que antes había sido mi campamento, me encontré con un panorama parecido al del puesto 34, desolador: las tiendas destruidas por el fuego, algunos compañeros carbonizados, cadáveres en medio de la explanada. Una calamidad. El caso es que yo me encontraba solo y no sabía a quién acudir. Entiéndeme, sabía dónde se encontraban las otras unidades, a lo largo de la trocha, pero ¿y si en el trayecto me tropezaba con el enemigo? Se me ocurrió que podía acudir a los Regalado, pero lo más seguro es que los mambises hubieran destruido el batey, cuyos pobladores eran rayaditos hasta la médula. No puedes imaginarte lo que es encontrarte, de la noche a la mañana, con que nadie te da órdenes y sólo tienes tu cabeza y tu instinto para poner a salvo tu pellejo. Es la soledad del corderillo perdido en el monte. Lo único bueno que tenía es que había víveres a mi disposición. Los rebeldes habían saqueado casi todo, pero algo habían dejado para que un hombre se pudiera mantener durante varios días. Por temor a que los negrazos pudieran volver otra vez, no me quedé mucho tiempo en el campamento. Mi instinto me dictó esconderme, junto con mi macho, entre la espesura de las plantas, y allí me quedé.

Los primeros días se me pasaron volando. Entre que sales del susto y te instalas un poco a gusto, no te das cuenta de cómo pasa el tiempo. La idea de tu soledad no te parece tan trágica, pero, al continuar los días y ver que no tenía ninguna salida, se me caían encima todos los agobios habidos y por haber. Parecía como si los árboles tan altos, las hojas tan grandes, las plantas en general se hubieran puesto de acuerdo para estrangularme. Los pocos ratos que me vencía el sueño venía acompañado de grandes pesadillas. Unas, en las que las ramas me estrangulaban o una hoja enorme se me ponía en la boca y en la nariz y me ahogaba. En otras, los negros me cortaban la cabeza con su machete. Todavía tengo esos malos sueños metidos en la cabeza y se me ponen los pelos como escarpias cuando me salen. En cuanto a la comida, aunque me iba limitando mucho, ya no quedaban más que galletas y latas de carne medio podrida. En un caso así, los nervios se te suben a la cabeza y no sabes qué tontería te van a obligar a hacer. No hay nada tan malo como la soledad en un territorio enemigo, niño. Pensaba que los que morían en combate se encontraban más reconfortados porque lo hacían arropados por otros compañeros. A ratos lloraba en silencio. A ratos gritaba, cosa inútil, cuando sabía que el bosque se tragaba mi voz. ¡Y menos mal que era así, porque mis gritos me podían haber perjudicado! Así pasé unos días. ¿Cuántos? Sería difícil precisar. Nunca puedes decir cuánto ha durado tu propia agonía. Además, entre los periodos de pérdida del conocimiento, vuelta a resucitar, vuelta a los berridos, ¿cómo puedes precisar las veces que ha salido el sol o que se ha hecho de noche? Muerte horrible hubiera sido aquella si me llega a engullir del todo. Ojalá que, cuando la dama negra me lleve de verdad, no se ensañe conmigo tanto como entonces. ¿Ves? ¿Cómo no voy a estar agradecido con los Regalado? Ellos me sacaron de aquel horror. Una vez me hubieron curado, me contaron cómo habían conseguido encontrarme. Desde el huerto que cultivaban a escondidas, se dieron cuenta de que se acercaban las fuerzas independentistas y tuvieron tiempo de poner pies en polvorosa. Deambularon por los montes, igual que yo, pero ellos con la ventaja de que sabían alimentarse de la espesura, beberla y transitarla, abriéndose camino con el machete. Coincidió que, en uno de mis delirios, oyeron algún grito y así me localizaron.

***

14 / 11 / 2001

Hola, Basi:

Ya te he contado suficientes hechos de mi abuelo, tanto en nuestros encuentros, como en nuestra correspondencia, para que te hagas una idea de cómo era. Me da cargo de conciencia cansarte con más historias de Sorozábal, al final vas a pensar que me enorgullezco de él.

¿Recuerdas que te dije que sospechaba que había adquirido alguna enfermedad venérea en sus campañas guerreras? Lo deduzco por las curas que le hacía la abuela. Era un hombre fuerte, bien plantado y dominador, no tendría nada de extraño que se dedicara a la conquista y disfrute de cuanta nativa saliera a su paso. Él lo veía natural, dada su mentalidad. Además, se ha de tener en cuenta que se pasó casi la mayor parte de su vida profesional fuera de casa, tanto en los periodos de soltero como en los de casado. Es gracioso que tuviera que morir no de las heridas contraídas en las batallas sino de las secuelas del "amor".

***

"La mayoría de corresponsales del World o del Journal, enviaban desde Cuba falsos relatos. Dado que el lector norteamericano no los podía comprobar y los creía a ciencia cierta. Los lectores supieron, a través de estos periódicos de las fantásticas batallas y de la memorable crueldad del Ejército Español."

***

28 / 11 / 2001

Querida Evangelina:

Hoy te escribo desde París. Acudo, en calidad de oyente, al congreso de biotecnología que en estos días se celebra en esta ciudad. No voy a recurrir al tópico de considerar la capital francesa como la ciudad romántica, tampoco te diré lo mucho que te echo de menos. Pero sí quiero reprocharte que no me hayas correspondido -lo mismo que yo hice contigo en Valencia- acompañándome. ¡Lástima!

***

—Entonces se me presentó la duda, si jugarme otra vez la vida para volver a reunirme con nuestro Ejército o quedarme con los Regalado.

—¿Cómo fue eso, abuelo?

—Mi familia protectora ya estaba harta de guerra y decidieron que, de ahí en adelante, vivirían por sí mismos y mandarían todo lo demás al carajo. Habían elegido un lugar adecuado, en los límites del bosque serrano, a donde ya habían trasladado a sus animales. Pensaban quedarse allí hasta que dejaran de oírse tiros en la isla. Les rogué, con todas mis fuerzas, que me llevaran a donde mis compañeros, pero no sólo no me quisieron hacer ese favor, sino que me quitaron la idea de volver al Ejército. Como se me hacía un cerro ir al encuentro de mis camaradas, no me lo pensé más y decidí quedarme con esa familia. ¿Era eso una deserción? En todo caso, no lo creí así. Sólo veía que me era imposible volver con los míos. Únicamente me preocupaba, en el paso que había dado, que cortaba el ramal que me unía con los españoles y que quizás nunca más podría volver a la Península. El instinto de supervivencia te manda mucho y no te deja obrar como sería menester. Volver con el Ejército parecía una tarea casi imposible. Con mi familia cubana me sentía seguro, ellos me seguían manteniendo vivo y, si cambiaban las circunstancias más adelante, ya se vería entonces qué hacer. "A lo mejor, poco a poco, los españoles van eliminando a los rebeldes y entonces será el momento de volver al Ejército", pensaba yo.

—Abuelo, ¿de alguna manera, usted también fue un prófugo, como aquellos del tren, de los que me habló usted un día?

—No exactamente. Yo obré así porque no tenía más remedio. Hasta le hicieron pasar un disgusto gordo a mi familia en España, cuando les comunicaron que había muerto. En cierto modo, yo no estaba faltando a mi deber porque ya me habían dado de baja en el Ejército. Y era natural que ocurriera así, con aquella desorganización que había. No creas que estaban para ver los cadáveres y comprobar los que habían muerto. Muertos o prisioneros, todos los metían en el saco de los desaparecidos.

Así es que yo, por el momento, me resigné a vivir de aquella manera, medio salvaje y montuna. En esa situación, si nos acordábamos de la guerra era para evitarla. Tampoco vi aparecer a ningún español, que si no, ten por presente que yo me hubiera vuelto a incorporar a ellos, sin ninguna duda. De las tropas mambisas también huíamos como de la peste, no vayas a creer que andábamos colaborando con el enemigo. A los rebeldes les temíamos más que a una vara verde y ese temor nos obligó a cambiar varias veces nuestro campamento. Menos mal que aquella gente, sobre todo Sebio, se sabía su campo al dedillo y su conocimiento nos salvó a todos. Él me contaba que esa sabiduría le venía de su padre, que había sido esclavo en una plantación. "Que y que", cuando le dieron la libertad y lo echaron del ingenio en donde lo tenían cautivo, no le quedó otro remedio que irse a la sierra y alimentarse de lo que le daba la naturaleza. Mira por dónde, yo también me aproveché de la ingeniosidad de aquel esclavo. Porque el mulato Regalado siempre sabía encontrar el lugar adecuado para que pudiéramos seguir ocultos y hallar algo que llevarnos a la boca a nuestro alrededor. Y no creas que era cosa fácil movernos de un sitio a otro por esos terrenos enmarañados, con ese jaleo de animales que nos acompañaban y que no queríamos perder. De vez en cuando, en esos traslados o explorando en los alrededores del campamento que ya hubiéramos asentado, encontrábamos otros animales o cosas útiles que nos ayudaban a sobrevivir. Es más, una vez encontramos algo que nos ayudó a prosperar durante toda nuestra vida. Te preguntarás qué fue eso. Mira, es un secreto. Te voy a contar lo que hasta ahora no había soltado a nadie. Ni siquiera a mi madre. Te lo confieso a ti que eres mi nieto, aunque me has de prometer que, mientras yo viva, nunca lo vas a chismorrear a nadie. Lo hago porque contigo se ha establecido una relación especial y porque, como ya soy viejo, no creo que me traiga ningún perjuicio. Lo he tenido que ocultar durante toda mi vida para protegerme de la envidia de la gente. No te puedes fiar de los celos de nadie, ni siquiera de los familiares, no fuera a ser que trabajaran para buscarte la ruina, en caso de haber sabido la naturaleza del misterio. Me tienes que jurar por lo que más quieras que no te irás de la lengua. Vale, así me gusta.

Te preguntarás por qué he logrado levantar una fortunilla en la vida, a diferencia de mis hermanos, si todos veníamos de los mismos padres y todos habíamos recibido la misma herencia. Ya te conté un día cómo mis dos hermanos mayores habían ido siempre lastrados por el trato de don Remigio, pero mi hermano pequeño tampoco ha levantado nunca cabeza, ¡y eso que no le tocó ir a ninguna guerra! Lo máximo que ha hecho ha sido ir trampeando en la vida. Ya ves que yo casi siempre he podido vivir con desahogo. He logrado que ahora tú puedas estudiar y, Dios mediante, que puedas conseguir una carrera y ser uno de los de arriba. Y ya ves que mis hijos también gozan de una buena posición. El secreto es que yo me traje algún dinerillo de Cuba. Te repito que nunca lo ha sabido nadie. Con mil y una artimañas fui engañando a la gente para que creyeran que me había tocado la lotería, y no una sola vez, sino varias. Hubo un tiempo en que algunos venían a verme para que les diera la receta de la suerte, para que ellos también acertaran el número, como yo. Les hice creer que lo que me daba la suerte era una pata de lorito que me había traído de Cuba. Hubo quien me quiso comprar el talismán por una cantidad respetable. Cuanto más me resistía yo a venderlo, más grandes eran las ofertas. "Si a ti ya te ha tocado la lotería, ¿para qué quieres seguir teniéndolo?" "Es que me da suerte y no me puedo deshacer de él". "Bueno, por lo menos alquílamelo durante una temporada". "No puede ser. Además, a ti no te haría efecto porque el encantamiento está hecho únicamente para mí. El brujo que me lo hizo me dijo que con otros no iba a tener valor y que únicamente iba a obrar conmigo". Cosas de la gente de los pueblos. Pero yo dejaba correr esos bulos porque me favorecían. Así nadie averiguaba de dónde venían las cuatro perras que había logrado juntar. Otros decían que la suerte no me venía de la pata de loro, sino de que era un muerto resucitado. "Al que muere una vez y luego resucita, todo le va bien en la vida. Mirad el Golorín, si no". Que dijeran lo que quisieran, mientras no se acercaran a mi secreto.

Luego, la verdad sea dicha, yo me he sabido mover y dar buen giro a los dineros. Te preguntarás cómo una persona que antes de salir de su casa tenía tan pocas luces llegó a sacar el cuello en la vida. Pues lo hice observando y siempre procurando ilustrarme.

***

1 / 12 / 2001

Hola Basi:
Te agradezco la confianza que depositas en mí contándome los secretos íntimos de tu antepasado. Haces bien en no publicarlos en CULTURALIA y dar tres cuartos al pregonero.
A veces me asaltan las dudas. Me pregunto si deberíamos considerar no volver a vernos, ahora que estamos al principio de nuestra relación y que el romper no nos causaría heridas tan profundas. He llegado a la conclusión de que estás en contra de los compromisos y no te quiero ligar de ninguna de las maneras. Desde luego que me va a costar acostumbrarme a esa herida, pero creo que aún tendré fuerzas para cicatrizarla.

***

"A medida que pasa el tiempo, es mayor el número de soldados que regresan de Cuba imposibilitados para seguir prestando los duros servicios de la guerra (...) No pocos regresan imposibilitados por completo (...) Muchos vuelven consumidos por la fiebres, destruidos por el vómito, víctimas de la anemia, exterminados y demacrados, la piel pegada a los huesos, los ojos hundidos en las órbitas, sin fuerzas para andar, perdido el apetito (...) Causa lástima verlos." (De EL PAÍS).

***

12 / 12 / 2001

Queridísima Evangelina:

Por favor, no te pongas así. Que me haya tenido que ausentar durante una semana seguida, no ha sido a propósito sino consecuencia de mi trabajo. He debido permanecer siete días en Blanes a consecuencia de la llamada de mis antiguos compañeros, para elaborar un estudio sobre el alga roja que está invadiendo todo el hábitat marino de la Costa Brava. Las cosas surgen de improviso y hay que decidir con rapidez, sin pensar. Además, cuando te he rogado que me acompañaras otras veces, como en el caso de París, no has querido hacerlo.

Reconozco que obré mal al no avisarte de que me marchaba, pero no tuve tiempo. Por otra parte, me dejé llevar por el hábito de solitario que me domina. No me di cuenta de que ahora no estoy solo. Te prometo que, de aquí en adelante, te tendré muy en cuenta y reformaré mis costumbres. Es más, hubiera debido invitarte a pasar unos días en la Costa Brava. Dame tiempo para ir venciendo mi egoísmo.

***

—Abuelo, usted me prometió revelarme el secreto y resulta que se va por los cerros de Úbeda. Me ha puesto sobre ascuas y ahora no cumple su palabra.

—Paciencia, niño, que todo llegará. A ver si comprendes de una vez por todas que, para conseguir algo en la vida, se ha de ser paciente. En parte, ya te he descubierto cual era mi secreto: que me traje algún dinero de la isla. Discurro ahora que, lo que tú quieres saber, es cómo conseguí ese dinero. Si yo fuera tú, me preguntaría más, me preguntaría cómo conseguí mantener ese dinero, entrarlo en la península y traerlo hasta el pueblo, siempre en secreto. Ése es mi mérito, a mi modesto entender. Tú no sabes lo que me costó y el miedo que pasé hasta que conseguí llegar al pueblo y enterrar mis ahorros en un lugar seguro. Esto también te interesa saberlo, ¿no?

—No, abuelo. Lo que me interesa es saber de dónde sacó usted el dinero.

—Si no llegas a interesarte por la raíz de las cosas, nunca llegarás a ser nadie en la vida. Ahora estábamos con el tema del traslado de dinero. Que no es moco de pavo lo que me costó traerlo hasta aquí. Cuando me presenté ante nuestro Ejército, tuve mucho cuidado de que nadie sospechara de lo que llevaba conmigo. Si había que fingir que se estaba tísico, se fingía para que nadie se acercara a mí y descubriera lo que llevaba encima. Eso lo conseguí hurgándome las encías para que sangraran, tosiendo y haciendo creer que me venia la sangre de los pulmones. También había que tener mucho cuidado con el miedo, que nadie notara que tenía miedo porque se preguntarían: "éste que tiene tanto desasosiego, es porque algo ha de ocultar". Y el dinero, guardarlo en una bolsa de hule atada a mis partes. Es un sitio en donde nadie quiere mirar, los hombres por hombres y las mujeres por vergüenza. Yo me até mi taleguilla a ese sitio como si fuera un braguero. ¿Ves? Todas esas cosas yo las aprendí observando y teniendo paciencia. En los momentos críticos, que a mí me consideraran un apestado, me convenía. En cambio, no me convenía que me hicieran un reconocimiento médico en el campo de prisioneros. Que se presentaron en el encierro aquel unos médicos americanos y corrió el rumor de que nos iban a examinar a todos los prisioneros. Por si se daba el caso, había que esconder dentro de mi ropa, muy manchada de sangre, muy señalada, como si fuera la de un apestado, el dinero y los papeles. De esa forma, a nadie se le ocurriría escudriñarla. Tú qué sabes la de dichos que corrían por esa prisión al aire libre. Hasta decían que nos iban a llevar a un sitio de los yanquis en donde ni siquiera se hablaba nuestra lengua. Tener dinero a mi disposición me reconfortaba, pensaba que así podría escapar y poseer algo en el futuro. "Nos llevarán a esa tierra que está frente a nosotros; al otro lado del mar. Allí nos harán cultivar los campos de algodón. Harán de nosotros negros y quien sabe cuándo nos dejarán volver a España, a los que queden vivos, desde luego". Los había, en cambio, optimistas que aseguraban que nuestro Ejército invadiría ese país y nos liberaría. Cosas de la fantasía. Con las ilusiones, podíamos aguantar las horas allí encerrados.

El caso es que, aun sabiendo que nosotros no podíamos hacer nada por remediarnos, queríamos salir de esa situación que nos parecía tan desesperada. ¿Sabes que, cuando te sientes rico, aunque vivas rodeado de tanta miseria, sabes elevarte por encima de ella? Si había que beber agua sucia de un charco, se bebía con cierta satisfacción, porque tenías la esperanza de que pronto la pudieras beber de un botijo de agua fresca, bajo la sombra de una buena higuera. Si había que comerse una carne enlatada con sabor a aserrín, se comía con ganas, porque tenías la esperanza de que podrías comer jamón, chorizos, lomo y todas las cosas buenas cuando volvieras a tu tierra. Que te quemaba la piel el sol, ennegreciéndotela más que si hubiera pasado por ti el agosto más caluroso, te conformabas con el pensamiento de que, cuando llegaras a casa, te ibas a poder librar de los rigores de la naturaleza y se te iba a poner un pellejo lustroso, de señorito. Llevar esos harapos puestos sobre mi piel, que en cualquier otra ocasión me hubiera hecho llorar por verme tan miserable, ahora no hacía más que alegrarme. Y si en el peor de los casos se cumplían los pronósticos de los agoreros y nos llevaban a ese país extraño, siempre me quedaba el recurso de escaparme y disfrutar de mi dinero.

El dinero es muy poderoso y te abre muchas puertas, hijo mío. Ya tenía yo mis planes por si me llevaban a esa nación y no podía salir de ella, allí me dedicaría a ser cada vez más rico, volver a mi ciudad y comprar media provincia con todo ese poderoso dinero americano. No fue difícil esconder el dinero durante el viaje de regreso, ya que no había que desprenderse de la ropa en todo el trayecto, excepto cuando nos pusieron en cuarentena. De no ser por esa escapada de noche con los compañeros, a estas horas sería más pobre que las ratas.

Como no fue difícil.

—Abuelo, a ver si me cuenta usted el secreto prometido, de una vez.

—Paciencia, niño, que a mí me gusta contar las cosas por su orden. Saber de dónde salió el dinero es lo de menos, eso no tiene importancia comparado con todas las peripecias que tuve que pasar para traerlo a la península. Vamos con la escapada del almacén aquel donde nos tenían en cuarentena. Ya sabes que, a los que veníamos en el barco, nos metían en unos lazaretos para que no pegáramos las enfermedades a los habitantes de nuestro país. Eso era lo que peor nos sentaba después de tantas fatigas: llegar a tierra y que te encerraran porque te consideraban apestados. Fíjate cómo sería la cosa que hasta los mismos compañeros de Cádiz no pudieron bajar a ver a sus familias. Caprichos de los mandamases, ¿qué quieres que te diga? Por lo que no me quedó más remedio que unirme al grupillo que se escapa por la noche. Era peligroso, si nos pillaban las autoridades, ¡sepa Dios lo que nos caería encima! Pero, más peligroso era para mí si me robaban mi fortuna. ¿Te imaginas cómo hubiera llegado a casa, ahora que veía el éxito al alcance de la mano? Como te digo, me escapé del lazareto por el agujero que hicieron los que tenían habilidad para esas cosas. Había que pasar por una abertura muy estrecha, un túnel, saltar una tapia y ya estabas en la explanada del puerto. Una vez libres, cada cual se dirigía a su negocio que no era otro que el del "descuideo", sobre todo comida, porque aún seguían matándonos de hambre. Como ves, el acuerdo de que campáramos cada uno de los huidos por su lado, me vino de perlas. Así pude buscar un lugar seguro para mis caudales. Y fíjate que fui a dar con un montón de basura, al lado de él cavé un agujero. "De la mierda todo el mundo huye. Aquí nadie se va a acercar", me dije. Que luego, durante toda mi vida, he pensado en la imprudencia que cometí dejando encerrado allí el dinero. Tuve suerte de que no lo descubriera nadie, con las necesidades que corrían entonces. Por eso me quise escapar más de una noche, por ver si mi escondrijo seguía inviolado. Como dice el refrán, al que algo quiere, algo le cuesta. Que yo me jugaba mucho con estas entradas y salidas, pero la avaricia de mantener lo mío me empujaba a hacerlo. Y menos mal que encontré esa salida, sino seguro que descubren mis "cuartos". Que yo veía el pampaneo que allí se traían y que a mí me iba a tocar. Que llegaban los doctores y nos hacían quedar en pelota picada para analizar nuestro cuerpo. Nos miraban todo, las orejas, la barriga, los ojos, nuestras partes, la dentadura. Tal como se hace con las mulas cuando se las quiere examinar. Hasta nos echaron unos polvos y unos líquidos encima. A ver cómo me las hubiera arreglado en el caso de que hubiera llevado mi taleguilla encima, como además te tenías que desnudar delante de todos.

—Abuelo, ya ve usted que tarde es y todavía sigue sin aclararme el misterio. Nos van a dar las tantas de la madrugada.

—No, niño, no. Ahora los dos estamos cansados. Otro día seguiremos hablando de este tema. A ver si eres capaz de seguir teniendo paciencia.

***

14 / 12 / 2001

Hola, Basi:

Claro que me habría gustado acompañarte, pero me lo impidieron dos razones. La primera es que tú no me invitaste; y, de haberlo hecho, habría sido de mala gana, por cumplir. La segunda razón es que últimamente tengo mucho trabajo, pero eso no era un imponderable.

No creas que te diferencias tanto de mi abuelo, en el aspecto de conquistador, quiero decir. En definitiva, ya con la palabra "conquista" se da a entender que lo que buscáis en la mujer es posesión, luchar para poseer. Tengo un testimonio escrito en el que mi abuelo se vanagloriaba de todas las "conquistas" de mujeres que había realizado durante su vida. De ello estaba tan orgulloso como de sus heroicidades bélicas.

***

"Y los que sobrevivan, si pueden volver a España, tienen asegurado el porvenir. Entre los que los despidieron ayer, no faltarán quienes les compren sus irrisorios cupones con un descuento del 99%. Y, si quedan inválidos, pueden aprender a tocar la guitarra para pedir caridad a cualquiera de esas familias que, desde sus carruajes, les arrojarán dos céntimos." (Cita de Blasco Ibáñez, Valencia).

***

2 / 1 / 2002

Querida Evangelina:

Otra vez de vuelta a la vida rutinaria, sigo hablándote del tema que me interesa para la preparación de mis artículos: la versión que los descendientes de los Regalado tienen sobre el origen de la pequeña fortuna que agenciaron sus antepasados, coincide básicamente con la que yo tenía. Como es un hecho acaecido hace más de cien años, es natural que se haya ido adornando y deformando, a gusto de esa descendencia.

***

—El mulato Regalado era más listo que el hambre, se manejaba en la Naturaleza con los ojos cerrados. Sabía cuándo nos acechaba un peligro y hacer todo lo necesario para evitarlo. Por eso, en el tiempo que duró mi estancia con ellos, casi nunca nos vimos comprometidos. Además, si no hubiera sido por Sebio, yo no hubiera hecho mi fortuna. Aunque él también hizo la suya, porque cuando yo me vine para acá, no quise dejarlo a dos velas y compartimos el dinero como dos buenos hermanos. Con esa vista de águila que tenía, desde nuestro escondrijo vio cómo se estaba desarrollando una escaramuza. Venía un grupo de mambises escoltando a unos señores muy raros, con sus trajes de señoritos, con sombreros aparatosos, con sus antiparras negras, cargados de aparatos que yo no sabía para qué valían. Desde luego, no para la guerra, pues no tenían cañón. En definitiva, a mí me extrañaron porque era la primera vez que veía a esa gente tan estrafalaria: los americanos. No sé si ya les habían hecho pasar la trocha y se sentían fuera de peligro o qué. El caso es que marchaban muy confiados por la manigua. Lo que es seguro es que no esperaban ningún ataque, sino no hubieran ido tan al descubierto. Pero los atacaron los nuestros. Hubo una buena refriega entre los soldados españoles y los rebeldes. Menos mal, para mi suerte, que la pelea no se inclinó ni de un lado ni de otro en lo que duró el día. Pero el mulato Sebio no se dormía en los laureles. Sabía que, tras una pelea, uno u otro de los contendientes dejarían en el campo de batalla objetos de valor, víveres u otras cosas que nos podrían ser útiles. Así es que, en cuanto salió la luna y pudimos orientarnos un poco, nos acercamos al campo de batalla a ver qué podíamos sacar. A esa operación se dedicaba más bien el mulato, porque a mí el único interés que me movía era poder reunirme con los míos. Ese fue siempre mi propósito.

No te creas que yo no tuviera en cada momento la intención de reincorporarme a mi Ejército. "A ver si, por casualidad, encuentro ahora a los españoles y me puedo presentar ante ellos", me decía aquella noche. Esa era mi intención cuando acompañé a Regalado. No creas que fuera por el interés egoísta. Lo que pasó es que los nuestros ya habían desaparecido y yo, solo, no estaba en disposición de encontrarlos. Sin embargo, sí encontramos algunos bananos, galletas, carne en lata. Y lo más importante, encontramos a aquellos hombres extraños tirados en el suelo junto a otros cadáveres, como es natural. No vayas a pensar mal de mí. Es más, yo le dije a Sebio que no estaba nada bien molestar a los muertos. Pero a ver qué iba a hacer yo si el mulato era el que mandaba. Fue él quien empezó a registrar a los americanos. Que bien mirado, ¿para qué querían los muertos todo ese dinero que llevaban encima? Lo tomamos porque a ellos no les iba a hacer falta y nosotros lo podíamos aprovechar. En cambio, les dejamos la cartera en su sitio, con todos sus documentos, por si alguien los encontraba y podía dar razón a sus familias. Ya nos retirábamos cuando vimos removerse a uno de ellos, eran tres. Nos dimos cuenta de que estaba vivo y nos lo llevamos a nuestro campamento, a ver si podíamos hacer algo en su favor. Para que veas que no obrábamos sólo por egoísmo. Aquel hombre se hubiera muerto sin nuestra ayuda. ¡A ver si todo el mundo está dispuesto a hacer por un extraño lo que nosotros hicimos! Que el hombre, en cuanto se recuperó, nos dijo que era un periodista y que no tenía arte ni parte en la guerra. Que lo único que pretendía era contar al mundo cómo eran nuestras batallas. Se ve que los de ese oficio son gente de dinero, lo digo por la cantidad de caudales que llevaban encima, en billetes que no eran como los nuestros, ya te digo. En otra ocasión te contaré cómo hice para que esos billetes del extranjero se convirtieran en pesetas.

Ahora vamos con nuestro avío. Que nos llevamos al hombre a nuestra choza y allí lo atendimos lo que pudimos. En parte le aplicamos unos ungüentos que habían preparado las mujeres y, en parte, con los medicamentos que el americano llevaba en su macuto. Ahora no me acuerdo, pero las heridas del periodista no debían ser de mucha consideración cuando, en unos días, se encontraba tan telendo. En cuanto abrió los ojos y se dio cuenta de su situación, nos preguntó, medio por señas, medio por las palabras nuestras, por sus compañeros y sus trastos de faena. Yo digo que hablaba así porque cada uno tiene apego a sus herramientas y no hay más tu tía. Y él tenía pasión por los aparatos de retratar, por los libros de mapas, por las brújulas, por el trasto de saber la altura y cosas por el estilo. Así es que Regalado y yo tuvimos que darnos otro palizón, volver al terreno de la escaramuza y hacernos con los bártulos de los periodistas que aún permanecían allí. No te quiero ni contar cómo estaban los cadáveres que unos días antes habíamos abandonado, tanto los de los guerrilleros como los de los otros dos americanos. En esos casos, siempre me remordía la conciencia por no poder enterrarlos, pero ¿qué podíamos hacer con tantos que había por todas partes?, no hubiéramos podido dar abasto. Bueno, pues el periodista nos dijo que era urgente que lo lleváramos a la zona de los rebeldes para, desde allí, mandar unos escritos "que y que" tenía que enviar a su periódico. Si conseguíamos llevarlo a ese sitio nos daría todo el dinero que llevaba encima, más lo escrito en un papel, que era como billetes. Después supe que eso se llamaba cheque. Así es que, si lo acompañamos hasta donde él nos pidió, fue más por lástima que por interés. Como al extranjero ese le habíamos salvado la vida, quieras que no, le tomamos aprecio. Pensamos que, como yo no sabía ni cómo ni cuándo podría volver a mi país, por lo menos que el hombre pudiera estar con su gente, con la mujer y el hijo de la foto que nos enseñaba. No te creas que no bregamos, tuvimos que andar leguas por la espesura hasta poder llevar a ese hombre a su destino. Además de que hubimos de dejar a las mujeres solas en el campamento a cargo de los animales menudos.

La verdad es que hicimos dinero, pero no te creas que no lo sudamos a base de peligro y de trabajo. Ese es el origen de mi pequeña fortuna. Ya lo sabes, impaciente. Con los Regalado, como eran de la familia, repartí todos los caudales. Es más, ellos se quedaron, inclusive tuve que insistir para que aceptaran, con todo el dinero en metálico y los objetos de valor que nos había entregado el periodista. Yo, en cambio, me traje conmigo el talón junto con algún dinero en el bolsillo, eso sí, no fuera a ser que el papel del banco no tuviera ningún valor o resultara difícil de cambiar. No te voy a negar que en el mismo Santiago de Cuba y estando presente Sebio, pudimos acercarnos al banco, en donde me certificaron la validez del papel y su cambio normal en cualquier banco de Madrid. Por eso hice correr en el pueblo la noticia de que me había tocado la lotería.

***

4 / 1 / 2002

Hola, Basi:
Echando cuentas, he llegado a la conclusión de que antes, al ser sólo amigos, estabas mucho más pendiente de mí que ahora. ¿Es que, con nuestra unión, has borrado a la Evangelina idílica que llevabas en la cabeza? Y una vez que me has conseguido, ¿ya no te digo nada?

***

"Hemos de invadir Estados Unidos una potencia débil y de tocineros, Para ello no se necesitan más que medio millón de soldados. Los americanos no podrán proteger sus costas." (De LA ÉPOCA).

***

23 / 1 / 2002

Querida Evangelina:
Si no fuera porque te conozco y te aprecio tanto, me ofendería hasta el punto de dejar de hablarte, por los reproches que me haces en tus últimos correos. Sabes que lo único que pretendo de ti es tu afecto y seguir dándote todo el mío.
Como te iba diciendo, lo esencial de la historia del dinero

misterioso, el gran secreto de Xantal, es que toparon con unos reporteros de un importante periódico americano (no dicen cuál). Aparentemente los atendieron, pero sólo pudieron salvar a uno de ellos. Puede ser que este hombre les recompensara con unos cuantos dólares (no sabemos si fue una cantidad considerable), que a ellos, gente tan humilde, les parecería una fortuna.

***

—Los Regalado comprendieron que hacía mucho tiempo que había salido de mi país y que ya necesitaba respirar un poco los aires que había mamado. Todos nos prometimos, yo a ellos y ellos a mí, que volveríamos a vernos; pero, dentro de todo, teníamos presente que era muy difícil que esto ocurriera. ¡Qué le vamos a hacer! Si has adquirido tanto apego a la gente, cuando la dejas sientes como si te dejaras un cacho de ti. Y no es una cosa pasajera, no, que ha habido muchos momentos de mi vida en los que me he preguntado por qué no me quedé allí. Aún me sigo preguntando si no abusé de aquella gente, que tanto se preocupó por mí y a la que quizás volví la espalda. Tengo esa duda. Las guerras traen muchos desastres. Ten en cuenta eso, niño. ¡Buena gente aquella! Ya ves que me podían haber retenido si hubieran querido, sin ellos yo no era nadie en esos territorios tan dificultosos, con ese lío de batallas y batallitas.

—¿Y cómo supieron de la marcha de la guerra? Quién la había ganado y esas cosas.

—Ya te he contado muchas veces que hubo un tiempo en que no sabíamos nada de nada. Bastante hacíamos con escondernos de los rebeldes. Como comprenderás, esa clase de vida se nos hacía eterna, más que nada porque no sabíamos en qué iba a parar todo aquel lío. Y no podíamos pasarnos el resto de nuestra existencia viviendo de forma tan oculta y tan salvaje. A las cosas se le van dando vueltas en la cabeza. Todos teníamos un runrún dentro del coco y, aunque por diferentes caminos, todos llegamos a la misma conclusión: debíamos de procurarnos noticias de cómo iba la guerra. Porque alguna vez tenía que acabar aquel lío. Porque alguna vez tendríamos que volver a la sociedad. Por eso nos íbamos acercando, con mil precauciones, a la civilización; primero a los bateys, ya poblados, en donde nos pudieran suministrar alguna noticia, y otras a las ciudades pequeñas, siempre en dirección a Santiago, a donde pretendíamos llegar.

Me doy cuenta de que hacíamos vida como de gitanos, siempre levantando el campamento. Era un no parar. Total, a lo que íbamos, que cuando ya pensábamos que se había acabado la guerra, tuvimos noticias de que se había armado un follón más gordo porque habían entrado en lucha los americanos, apoyando a los rebeldes. Entonces sí que se apreciaban los movimientos de tropas y el estropicio de las batallas. Entonces sí que se empezó a haber grupos de hombres de los nuestros que zascandileaban de un sitio para otro, sin rumbo fijo, como patos mareados. Y entonces sí que me acordé de los jirones de mi uniforme de rayadillo. ¿Por qué? Pues porque tener el uniforme era como tener el billete para volver a España, de lo que me daba el arrechucho de vez en cuando. Ya ves que los pantalones tenían agujeros por todas partes, que no se podían llevar sin calzoncillos, y a la guerrera hasta le faltaba una manga. Ya te conté que, desde que vivía en la sierra, me había agenciado otra ropa, como la de los campesinos de allí, pero siempre llevaba mi uniforme en el zurrón, por si las moscas.

Tuvimos noticias de que las cosas se iban poniendo feas para nosotros, los españoles. Y nos enteramos de que los yanquis nos estaban zurrando con mucho enojo, por venganza de no sé qué barco que dicen que les habíamos volado en La Habana. Eso me preocupó mucho. Eso empezó a desatar en mí el canguelo. ¿Qué iba a ser de mí en esa situación? Porque lo que estaba pasando no cuadraba con los planes que me había hecho, que era unirme a nuestro Ejército más adelante, cuando fuéramos dominando más al enemigo. Quieras que no, la vida medio escondida que llevábamos era una cosa provisional. Alguna vez tendría que sentar cabeza y estar por lo que me habían traído a la isla. Inclusive si me hubiera quedado en Cuba con la familia Regalado, yo pensaba regularizar mi situación con el Ejército. Contaría la verdad de lo que me había ocurrido, sólo que exagerando un poco la duración de mi mal. "Hasta ahora no me he recuperado y no sabía siquiera quién era", diría. "He andado perdido por el monte y, hasta la presente, no había topado con ningún grupo de los nuestros". Pero ya ves que las cosas se me presentaron muy distintas a mis planes. Creo que una de las razones por la que dejé a aquella familia fue por el terror que me entró, al no saber lo que estaba pasando en España con esto de la derrota. ¿Y si los americanos también nos estaban atacando en nuestras costas? ¿Y si se trastocaba todo en España y no volvía a ver a mi familia? Con que un día, viendo pasar a un grupo de compañeros, no tuve más que sacar los restos de mi rayadillo, ponérmelo y acercarme a los míos. Apenas pude cambiar unas palabras de despedida con los Regalado, eso sí, nos despedimos llorando. Para consolarlos a ellos y conformarme a mí mismo, les dije que volvería cuando todo se hubiera normalizado.

***

25 / 1 / 2002

Querido Basi:
Perdona que te lo diga, pero todos los hombres, al menos los que me han tocado en suerte, sois iguales. Mucho ofrecimiento en el cortejo y luego "si te he visto, no me acuerdo". ¿Por qué no sigues tan apasionado como cuando me perseguías? ¿Es que te he decepcionado? Te agradecería que me dijeses en qué.

***

"Ayer domingo, mientras se desembarcaba a los soldados famélicos, enfermos o cadáveres, se estaba celebrando la tradicional corrida de Feria de nuestra Ciudad. Al pasar un cortejo fúnebre, con varios ataúdes de soldados, por la plaza de toros, la gente se arremolinó en la puerta del coso taurino y empezó a gritar, insultando a los espectadores." (De nuestro corresponsal en La Coruña).

***

2 / 2 / 2002

Querida Evangelina:
En todo caso, ahora soy yo el que ha de tener paciencia contigo. Haces un análisis tan exhaustivo de mí que me desconciertas. No sé en qué te basas para acusarme de poco apasionado ahora, en contraposición con antes. Sólo son figuraciones tuyas porque estoy convencido de que te sigo queriendo como el día de nuestro encuentro. ¿Es igual por tu parte? A ver si va a resultar que no ves más que defectos en mí porque ya me aborreces.

***

—Con aquel desbarajuste que había en nuestro Ejército, pocas averiguaciones hicieron sobre mí. Entre tantos hombres, de todos los cuerpos, que pasaban huyendo por el lugar en donde yo me encontraba, no me fue difícil incorporarme a un grupo de ellos. Nadie me preguntó nada. Parecía un hecho natural que yo estuviera al lado de aquellos hombres, como si viniéramos huyendo juntos desde la última batalla perdida. Cuando los mandamases ordenaron parar, hicimos grupillos de hombres que reposábamos por unos momentos en la manigua. Cada uno sacaba de su zurrón la miseria que podía, un trocico de galleta, un cachete de tocino, algún mango. ¡Poca cosa como para coger energías para tanto que nos quedaba por andar! Así es que, cuando yo saqué de mi macuto maíz cocido, carne fresca y mangos, se fueron todos los ojos tras la pitanza. Y no tuve más remedio que compartir mi comida con los hombres del corro en el que estaba aposentado. Así empezaron de nuevo las miserias para mí. El caso es que me tuve que reconciliar con la sed y el hambre, de las que ya me había olvidado. Para que veas lo tonta que se puede volver una persona cuando no se rige por la cabeza sino por el corazón. Porque, ¿sabes dónde acabaron todos esos soldados a los que me uní? Pues en un cercado cerrado con alambres de espino. Y yo caí prisionero con ellos. Una vez que pasamos a la categoría de presos, fuimos tratados como reses que esperan en el corral un destino incierto. ¡O peor que reses! Porque los animales tienen su pienso y su agua en el abrevadero, pero nosotros poco o nada teníamos de lo uno y de lo otro. Cuando se acordaban, nos daban una lata de carne para cuatro, que sabía a requemado, y una galleta más dura que una piedra, de gusto agrio, bien me acuerdo. Con esa comida, era peor el remedio que la enfermedad, porque nos hacía rabiar de sed y tirarnos como locos a los charcos que había en aquellos terrenos pantanosos. Y otra vez a aguantar el tiempo al raso. El sol nos derretía los sesos y nos levantaba ampollas en la piel, porque no había una sombra en donde guarecernos.

Mira que yo estaba acostumbrado a la siega en los días más calurosos del verano, pero en esa faena encontrabas algún árbol que te protegiera con su sombrica durante un rato. Aquí no había protección que valiera. El único alivio que sentíamos era cuando llovía. Deseábamos que lloviera a cántaros para que nos refrescara un poco por dentro y por fuera. Añádele a eso que los bulos corrían como liebres por el campo de prisioneros, eso era lo que más mal nos hacía. Pasaba un día y otro y nosotros sin saber cuál iba a ser el mal, de los sonados, que se iba a cumplir. Pero como las personas no pueden andar continuamente con el ánimo por los suelos, dejábamos que se colaran en nuestras cabezas también noticias alegres, que nos hicieran tirar unas horas más del pesado carro de la vida. En contra de la tristeza, anunciándonos que íbamos a ser esclavos en las plantaciones de algodón, estaba el optimismo. Pensabamos que vendría el potente Ejército que preparaba nuestro Gobierno, no sólo para liberarnos a nosotros, sino para invadir los Estados Unidos. Cosas de sube y baja del ánimo. Cosas de rellenar el vacío del tiempo, cuando no se tiene nada a qué agarrarse. La manera de distraernos un poco de las urgencias que nos amenazaban, porque tanto los hablillas buenas como las malas, nos distraían de lo mal que lo estábamos pasando en el campo de prisioneros.

***

6 / 2 / 2002

Hola, Basi:

Sigo hablándote del tema de Historia que tenemos en común porque es difícil escribir sobre la cuestión sentimental. Creo que, en vez de arreglarlo, metemos más la pata al hablar de él.

Durante su retiro en Valdepeñas, agotado y enfermo, Rogelio Sorozábal se dedicó a realizar obras de caridad. Entre las más importantes se encuentra la construcción de un hospital para pobres. No es que aportara todos los medios económicos de su bolsillo, sino que contribuyó con lo que pudo e hizo participar a otros burgueses de la villa. Hay que reconocer que, de no ser por él, no se habría edificado dicho sanatorio.

***

"A principios de 1898 existe el rumor en la prensa norteamericana de que, los militares españoles que hay en Cuba pueden sublevarse contra la incipiente autonomía que se había concedido a la isla."

"El mercantilismo se ha empeñado en mancillar la tierra donde la Gran Isabel la Católica, por mano de Colón, plantó su bandera. Responda ante Dios del desastre ese pueblo envilecido que tiene por dogma el dinero, con lo que pretenden envilecer todo lo sagrado. Somos el pueblo de Cristo y gritamos hasta enronquecer: ¡VIVA ESPAÑA! ¡VIVA LA PATRIA! ¡VIVA EL EJÉRCITO!" (Boletín del Arzobispado de Madrid-Alcalá. Pastoral).

"Cuando Weyler es sustituido por el general Blanco, éste encontrará un Ejército de cadáveres agotados y anémicos, sin fuerzas ni para sostener el fusil. En los hospitales se hacinaban treinta y seis mil enfermos y tenían lugar cinco mil repatriaciones cada mes, forzadas por las enfermedades irreversibles. Los soldados estaban agotados por falta de alimentos, excesos de marchas, falta de alojamiento y de techado. Por le paludismo, la caquexia, la anemia, vómito negro... Para reunir a dos mil hombres útiles, eran necesarios diez batallones." (HERALDO DE MADRID 6 – 12 – 1897).

***

18 / 2 / 2002

Querida Evangelina:
Me acusas a mí de voluble y no ves la viga en tu propio ojo. Eres tú la que cambia constantemente de humor. ¿Por qué no estás siempre tan cariñosa conmigo como lo estuviste anteayer? Por el contrario, yo no cambio de humor con tanta facilidad. Reconoce que procuro portarme siempre adecuadamente contigo. De todas formas, gracias por la deliciosa noche que me hiciste pasar. Espero que tú también te lo pasaras bien.

***

—Los primeros días de la repatriación fueron de mucha alegría, aunque pocos tuvieron la suerte de salir del campo vallado para embarcar. Se ve que los barcos eran pocos y había muchos hombres en vallados como el nuestro. Eso decían los rumores. A medida que pasaban las semanas y a nosotros no nos tocaba subir al barco, la alegría fue trocando en impaciencia, hasta convertirse desesperación; más de uno, sin importarle los negrazos que nos vigilaban, intentó escapar de allí con la intención de que le dieran un tiro y acabar de una vez. Te quiero contar la de chismes que desataban esas tardanzas.

El peor de todos decía que el gobierno, por falta de recursos, nos iba a dejar en la isla para siempre y a nuestra suerte. Así es que cada vez que se anunciaba que iba a haber otra tanda de repatriados del campo, la gente se amontonaba y los negrazos, con sus uniformes tan vistosos, nos tenían que disolver a palos. "Camon, camon", nos decían. Llevaban pantalones ajustados, con galón azul, botas altas y guerreras azules con cuellos de oficial. Nos causaban miedo y respeto a pesar de ser negros. A mí no me tocó la mala suerte de tener que salir de los últimos, quizá porque me hacía pasar por enfermo de los pulmones, como ya te dije una vez. Desde luego, el tiempo que permanecí en esa prisión fue suficiente como para enterarme de lo que valía un peine, y a lo mejor ni siquiera pasé más de tres meses. No creas que mis sufrimientos acabaron ahí, que lo del barco también se las trajo. Pero ya eran otros Garcías. Al menos estábamos seguros de que a los que nos tocara despertar de esa pesadilla, lo haríamos en nuestras casas y con los nuestros. ¡Puras ilusiones que se metían en la cabeza! Que para la mayoría no fue volver a Jauja sino a padecer aún la escasez y la miseria. ¡No veas cómo habían cambiado los precios de todas las cosas necesarias para vivir desde que nos habíamos marchado!

Después de pasarnos tanto tiempo en la guerra, miles de soldados no encontrábamos acomodo, bien por falta de trabajo o bien por estar lisiado. En eso ya sabes que a mí no me cogió el toro. Como te digo, las pasamos canutas en el viaje de regreso, mucho peor que en el de ida. Todo eran inconvenientes, desde los enfermos hasta el espacio. Todos luchábamos noche y día por tener un hueco en el que poder tumbarnos.

Además, nuestro temor constante era fenecer, cada día la gente caía como moscas y los cadáveres eran arrojados al mar. Ahí estaba Cecilio. El pobre se veía tan enfermo que me rogaba con todas sus fuerzas que, cuando muriera, ocultara su cadáver para que no lo tiraran al mar. "Me metes en cualquier rincón y sólo declaras que me he muerto cuando lleguemos a la Península". "Cecilio, no te puedo prometer una cosa que no puedo cumplir". "¿Es que no puedes sacrificarte por un pobre compañero que no te pide más que practicar su última voluntad?". "Cecilio, que tú sabes que lo que me pides es imposible". "Mira, tú déjame dirigir a mí y todo saldrá bien. Lo único que tienes que hacer es buscar un rincón donde nadie me pueda descubrir". "¿Estás loco? ¿Cómo quieres encontrar aquí un escondrijo, cuando ya ves que no hay hueco ni para meter un alambre?". ¡Por Dios, no dejes que me tiren al mar, que no sé nadar! ¡No quiero morirme dos veces! Mira si hay algún hueco por alguna parte aunque sea en el cuarto del carbón. Dentro de dos o tres días, cuando veas que ya estoy en las últimas, me llevas a ese rincón que hayas buscado. ¡Que nadie se dé cuenta de que falto! Si me lo prometes, podré morir tranquilo, que yo sé que tú haces lo que prometes. Puede ser que hasta tenga suerte y alguien lleve mi cuerpo hasta el cementerio. ¡Déjame morir con esa ilusión, anda!". A ver qué ibas a hacer sino seguir la corriente a un agonizante. Hice como que bajaba las escaleras y, al rato, volví a explicarle que ya había encontrado el lugar apropiado dentro de la carbonera, de la que ya tenía la llave. No está bien discutir con un moribundo. Me podía haber apartado de él y no haberle hecho caso, pero no es decente dar la espalda a una persona con la que tienes confianza y que está agonizando. Además, él era el modo ideal para apartarme de los demás, para que nadie se acercara a mí. Ya sabes, por lo del dinero.

Cecilio también me prestaba su servicio en lo de las letrinas. Como en los barcos no hay campo ni corral, hay que hacer de vientre en unas cabinas a las que decían letrinas. Como casi todo el mundo andaba mal de la tripa, se formaban unas colas de gente con urgencias que para qué te cuento. Con Cecilio en las últimas, colgado de mis hombros, nos dejaban colarnos que era un gusto. Cuando murió el pobre, yo me quedé sin ese privilegio. En sus últimos momentos, al ver que se iba, los dos lo pasamos muy mal porque se empeñaba en que lo llevara al rincón ese que le había buscado. "Cecilio, todavía no estás en las últimas. Aguanta un poco más. A lo mejor llegas vivo a tierra y todo". "Que no, que ya la veo venir. Llévame a donde habías prometido", decía, con las pocas fuerzas que le quedaban. Yo le tapaba la boca para evitar que llamara la atención de los de alrededor, pero cada loco estaba con su tema y en nosotros no se fijaba nadie. No era Cecilio el único moribundo, que cada día caían compañeros como moscas. Al anochecer o al amanecer, era cuando se montaban las ceremonias esas del chapuzón. Venía el cura castrense, decía el "gori gori", delante de los muertos que habían caído el día anterior y los tiraban por la borda, deslizándolos desde las angarillas. Cuando se oía el chapuzón, era como si te hubieran dado un puñetazo en el estómago.

***

20 / 2 / 2002

Hola, Basi:

Si hemos decidido ser pareja es para serlo al completo y no sólo en la cama. Tengo que recordarte que tienes un compromiso conmigo y no puedes hacer la vida por tu cuenta, sin consultarme al menos.

No me parece mal que atiendas a tu conocida cubana, o lo que sea, pero no hasta el punto de salir con ella, abandonarme a mí y ni siquiera darme una explicación. Además, me mientes diciendo que no podías venir a casa por cuestiones de trabajo. Antes, incluso me pedías que saliéramos los tres juntos (tu sobrina, tú y yo). Ahora, todo eso se te ha olvidado.

***

"En ningún combate con los insurrectos, ni aun en aquellos en que fueron macheteados los prisioneros, ha muerto tanta gente como en un solo viaje de la Transatlántica. El católico Comillas cobra treinta y dos duros por cada hombre que lleva a Cuba y treinta y dos por cada enfermo que trae de allí. Pero, sin duda, aún le parecen pocos los hombres que han embarcado en su flota de barcos ataúdes y carga con los moribundos, sabiendo que éstos han de perecer en el viaje y que el buque ha de dejar rastro de carne en la inmensidad del océano." (Vicente Blasco Ibáñez).

"En estos momentos tiene el Sr. Sagasta la prueba más concreta de la opinión más alarmada y, todo como se halla, no pone el menor obstáculo a las gestiones del Gobierno y se encuentra dispuesta a secundarle cuanto haga falta, confiando en que ha de ser diligente en la defensa y en el mantenimiento de su honor y sus derechos." (EL TIEMPO, tras la explosión del Maine).

***

1 / 3 / 2002

Querida Evangelina:

No tiene sentido lo que dices. ¿Cómo puedes tener celos de una chica que, además de poder ser mi hija pequeña, es mi sobrina? Si salí las otras noches con ella fue porque vino a casa de improviso. Estaba tan alegre porque la habían contratado en un hospital de la Seguridad Social que no quise decepcionarla cuando me pidió que saliéramos a celebrarlo. Fuimos a cenar y a una discoteca hasta altas horas de la madrugada; ésa es la verdad. Si quieres que te diga más, acabamos bien alegres por la ingesta de alcohol. Eso fue todo.

***

—Como estuve de superviviente en los montes, sin poder reunirme con mi columna, no te puedo dar razón de las batallas esas que dices. Ahora, por lo que oí después, fueron una pura calamidad. Tampoco te puedo dar los nombres de cómo bautizaron a tal o cual acometimiento, pero sí te puedo narrar las penurias que contaban los que venían tirados conmigo en el barco. Al ir tan apretujados, no podía uno evitar las conversaciones de esos compañeros. Porque allí vegetábamos soldados de todos los cuerpos y cada uno había recibido lo suyo en el sitio en que le tocó servir. Que si eran marineros, no te arriendo las ganancias, aunque esos estuvieran menos tiempo metidos en el ajo y no fue tan largo su padecimiento. No, niño, no. Allí nadie iba de valiente. De lo único que daban gracias a Dios era de haber salvado el pellejo. Los de la Marina contaban:

"Nosotros estábamos anclados, tan tranquilos, en el puerto de Cartagena. Con el recelo de que, de un día para otro, nos pudieran dirigir rumbo a las colonias. Lo mismo nos podían mandar a Oriente que a Poniente. Tuvimos noticias de que ya había pasado lo de Cavite y, aunque nos entristeció la pérdida de nuestros compañeros, al menos nos habíamos librábamos de ir a unas tierras tan lejanas. A ver si nos librábamos de ir también a lo de Cuba y Puerto Rico. Pero no. Nos trajeron para acá."

"Mira qué suerte tuviste de no haberte pasado más de tres años con las calamidades de la guerra. Vosotros en vuestro barco con vuestro buen rancho y, en unas horas de batalla, ya lo teníais todo resuelto. El que se salva, se salva y el que no, las palma. Sin esa larga agonía por la que nosotros hemos tenido que pasar, murieras o sobrevivieras. Seguro que vosotros no habéis pasado tanta hambre y tanta sed como nosotros. Cuando ahora os quejáis del rancho y del agua que nos dan aquí, es que no habéis pasado por nuestras necesidades. A nosotros nos parece aceptable lo que nos dan aquí."

"Pues haberte enrolado en la marina y verías lo que es bueno, muchacho. Que, a veces, en unas horas, se puede sufrir más terror que en toda una vida. Que tú no sabes lo que es estar encerrado en una ratonera, prendiéndote fuego y sin poder escapar. En tierra, siempre te puedes escabullir por un sitio u otro, pero de un barco a ver por dónde te escapas. Además de eso, nunca sabes lo que tus jefes llevan metido en la cabeza. Cuando nos encerramos en la bahía de Santiago de Cuba, los marineros estábamos con la angustia de no saber hacia dónde íbamos a tirar ni en dónde íbamos a dar la batalla. Veíamos que nos estábamos enredando en una trampa y no podíamos hacer nada por evitarlo. Donde hay rey, no manda marinero. Cualquiera de nosotros se daba cuenta de que quedarse allí era como plantarse delante de un pelotón de fusilamiento, listos para que nos acribillaran. Y los mandos, venga a dar vueltas, dejaban pasar los días sin tomar una determinación. Había algunos que decían que estabamos bien ubicados, que no se podría localizar nuestro escondite. ¡Menudo plan! Como si el enemigo no tuviera miles de espías en tierra para chivarles nuestra posición. La escuadra yanqui no tardó en localizarnos y cerrarnos el paso hacia alta mar. Todos creíamos que la única salida era rendición, eso o ir derechitos a ellos para hacer de blanco y que nos echaran a pique con toda facilidad. ¿No te parece suficiente sufrimiento estar así varios días, con el nerviosismo en el cuerpo, sin saber ni cómo ni cuándo te va a llegar la muerte?"

"Al ver que el enemigo nos cerraba el paso, empezaron a correr los rumores. Unos decían que hundiríamos nuestros buques en la bahía, así evitaríamos nuestra captura y que los americanos se apoderaran de los barcos. Además, habría que trasladar las piezas de artillería de nuestros barcos a la ciudad para su defensa. Yo creo que los jefes nos decían eso para relajar nuestra tensión. Nos estaban engañando como a los niños. Porque otro rumor decía que el primer destructor en salir sería el nuestro, donde yo estaba enrolado. Nuestra misión sería lanzar torpedos para hundir a algún barco americano y así abrir camino a los nuestros. Otra noticia que corría era que íbamos a traspasar el bloqueo de noche cuando los barcos yanquis no nos pudieran localizar. Eso nos ponía más nerviosos todavía. ¿Qué iba a ser de nosotros, heridos y perdidos en la oscuridad, incluso ahogándonos, sin que nadie pudiera prestarnos auxilio? Todo el *tomate* empezó por la mañana. Mientras salía el María Teresa, nosotros esperabamos ansiosos, con la esperanza de que lograra escapar y nos abriera un hueco. Pero, ¡qué va!, ni por esas. No tardó en caer sobre él una lluvia de fuego. Veíamos a nuestros compañeros volar por los aires, aunque ellos seguían avanzando, hasta que embarrancaron y fueron abordados por el enemigo. La misma mala suerte tuvieron el Vizcaya y el Cristóbal Colón. Nosotros también salimos en desbandada. Estábamos tan aterrorizados que a duras penas acertamos algún blanco. Los compañeros iban cayendo sin remedio. En medio de aquella barahúnda, no te daba tiempo a saber si estabas muerto o vivo. No sé cómo pasó el tiempo, pero cuando nos dimos cuenta ya teníamos a nuestro torpedero embarrancado en un banco de cieno y arena. Casi todos saltamos del barco, a ver si así nos librábamos de esa lluvia de fuego y metralla. Eso no nos valió de nada, el enemigo seguía bombardeándonos sin tregua. El que tenía la mala suerte de caer herido era atacado por los tiburones que, enloquecidos por la sangre, se atrevían a llegar hasta donde nos hallábamos. No estábamos en tierra firme sino en el banco, con el agua cubriéndonos hasta la cintura. Si os digo la verdad, los que pudimos salir con bien de aquello hasta lloramos de emoción cuando caímos prisioneros. Que luego vendrían los dolores de cabeza, porque no sabíamos adónde nos iban a llevar y qué iba a ser de nosotros, pero en el momento de la rendición, tuvimos un respiro de alivio."

***

5 / 3 / 2002

Querido Basi:

De todas formas, alguna vez tendrá Luz que tomar una decisión y salir de esa situación provisional en la que se encuentra. Alégrate de que esté ejerciendo en la Seguridad Social. Esperemos que así no tengas que estar tan pendiente de ella. Al menos no tendrás esa excusa.

Tengo entendido que, poco a poco, va adaptándose a esta nueva sociedad consumista, por más que diga que desea con toda su alma volver a Cuba. La coartada que usa para quedarse aquí es que necesita enviar dinero a los suyos para que puedan salir adelante.

***

"Si hemos de apelar al quijotismo, hagámoslo, antes que nos tomen mano y voz los yanquis." (HERALDO DE MADRID).

"Esta nación de héroes y mártires, de caballeros y de cristianos es hoy, como ayer, la España de las grandes conquistas y de las grandes revoluciones. La España de Lepanto y del Dos de Mayo." (EL CORREO ESPAÑOL).

"Todo debe aceptarse menos que se pisotee nuestro honor y se burle de nuestra paciencia ese pueblo de mercaderes que todo lo fía a sus millones." (LA ÉPOCA).

"Es el colmo de la debilidad de ánimo figurarse que vamos a desarmar a los yanquis a base de paciencia (…) España quiere más honra sin Cuba que Cuba sin honra (…) No debemos tomar ninguna iniciativa hostil, pero no debemos ceder a ninguna iniciativa inicua." (EL IMPARCIAL 16–2–1898).

"Ante la noticia de que los congresistas norteamericanos reclaman más presupuestos para su Ejército y su marina, nuestro corresponsal en Estados Unidos se hace eco de la noticia y proclama la inferioridad del Ejército de ese país." (EL IMPARCIAL 16–2–1898).

"Tampoco olvidemos el hecho de que, en tiempos de desdicha, es cuando necesita el pueblo algo que alegre su alma (…) Las fiestas preparadas para Carnaval las encontramos bien, a no ser por las circunstancias (…) Las fiestas de Carnaval nos parecen importantes." (HERALDO DE MADRID 16–2–1898).

***

18 / 3 / 2002

Querida Evangelina:

Puede ser que tu abuelo, al ser oficial del Ejército Español, estuviera más al tanto de los acontecimientos políticos que se venían desarrollando en Cuba en aquella época, pero te puedo asegurar que el mío pasó por la guerra sin saber nada del Grito de Baire ni de Martí. En cambio, de Maceo sí que me habló varias veces, así como de Máximo Gómez. Casi nada de Martínez Campos, de Weyler o de Blanco. Una vez le pregunté qué opinaba sobre el asesinato de Cánovas y me respondió que no sabía quién era ese hombre. Ten en cuenta que era de clase humilde, analfabeto hasta adulto.

***

—En fin, que cada uno contaba la guerra según le había ido en ella. Yo, además de lo que te he narrado, poco te puedo añadir. Podría haber contado en mi pueblo mil luchas en las que no participé, pero no soy un farolero. Había un grupo de compañeros que contaban sus sufrimientos como queriendo ponerse por encima del resto, como queriendo decir que lo que ellos habían sufrido era superior a todo. En fin. Lo que sí te puedo asegurar es que los días y las noches en aquel barco de regreso fueron eternos. Puedes pensar que ya estábamos contentos porque habíamos dejado atrás la guerra y el campo de prisioneros, pero no era así. Las desgracias no paraban de azotarnos en ese cascarón de nuez, rodeados de una inmensidad de agua, sin saber si alguna vez verías tierra. Como bien sabes, yo tenía un motivo especial para que el viaje se me hiciera más largo: la taleguilla bajo mis partes, porque cada momento padecía el peligro de que alguien la descubriese. Como ves, yo tenía una doble ansia por llegar.

***

21 / 3 / 2002

Hola, Basi:

No sé qué pensar de ti. Sigues comportándote, en tus relaciones conmigo, pendularmente: de pronto cariñosísimo, de pronto casi indiferente. Ten en cuenta que esos bandazos que das me hieren, sobre todo cuando caes en el periodo de indolencia sentimental.

***

"Tolerar que, tras la humillación que se nos ha impuesto, se nos atropelle (…) Entre eso que sería el suicidio y la suerte peleando, (dado el caso de que no hubiera posibilidades de vencer, que las hay) la elección no sería dudosa." (HERALDO DE MADRID 25-03–1898).

"Al igual que Cánovas, Romero Robledo proclamaba a voz en grito: ¡Hasta el último hombre! ¡Hasta la última peseta!"

***

4 / 4 / 2002

Buenos días, querida Evangelina:

Menos mal que encuentras en mí alguna virtud. Creo que tu problema es que analizas demasiado las cosas, que aplicas tus métodos de investigación para estudiar nuestras relaciones. Por mi parte, prefiero ir a ciegas. Te puedo asegurar que cuando estoy contigo me encuentro muy a gusto y eso es lo que cuenta. Claro que me molestan esos enfados y esos reproches que me haces, pero al volver la calma, me olvido de ello.

Me preguntas por Luz y no sé cómo enfocar el tema, por si hiero tus sentimientos. Me parece que te molesta que me ocupe de ella.

No obstante, me llena de satisfacción que se haya podido integrar totalmente en nuestra sociedad. Ya trabaja en el hospital de Alarcón. Ya dispone de un piso propio, aunque alquilado. Y puede ser que un día no muy lejano forme pareja y eche raíces en la tierra de su antepasado, por más que diga que no puede vivir si no es en Cuba.

El otro día me puse a pensar en la relación de la familia Regalado con mi abuelo. Llegué a la conclusión de que debía haber una diferencia abismal entre la mentalidad de aquel español y su familia cubana de acogida. Pienso que, tras la ofensa que recibieron los Regalado cuando Basilio abandonó a Luchi embarazada, aquella familia hubiera podido reaccionar odiándolo. No fue así. Por lo que se ve, el soldado Xantal dejó un buen recuerdo entre ellos y no tomaron como un agravio que mi abuelo quisiera volver a su tierra. Tengo entendido que Luchi esperó a mi abuelo durante un tiempo (no mucho, esa es la verdad) y luego se casó con otro hombre, con el que no tuvo más hijos. Y lo más raro es que ese hombre admitió al hijo de mi abuelo y le dejó conservar su apellido.

***

—No te creas, niño, que lo peor de verme metido en aquello fuera la guerra. Las guerras son las guerras y no se puede contar de ellas nada bueno. Si bien viene a mano, tu padre y los que padecieron ésta última nuestra te podrían contar muchos más horrores de los que yo tuve que soportar en la guerra que me tocó vivir. Si me quejo no es de haber sufrido las cosas malas de la guerra, sino de haberlas pasado fuera de nuestra tierra. Al cuerpo le costaba mucho acomodarse a esos climas tan duros y a esos terrenos. Ya estás enterado de esas enfermedades raras a las que nuestro físico no estaba adaptado. Pero lo más peligroso para mí, lo que me producía pánico, eran los ciclones. El que más señal dejó en mi cabeza fue aquel que padecí en la manigua, al poco de caer en la isla. Habíamos salido de exploración. Íbamos unos treinta hombres de mi compañía al mando del teniente López Arellano, un hombre más bien grueso que se movía con dificultad, no sólo por la envergadura de su cuerpo, sino por la edad. Lucía un mostacho abundante que unía con las patillas a la moda de entonces. Nosotros le teníamos cierta consideración porque se hablaba de que nunca le había levantado la mano a ningún subordinado. Solía darnos las órdenes desde encima de su caballo. Aceptábamos de buen grado que se moviera siempre así, caballero, por respeto a su edad y a su peso. Aquel día, los mambises nos atacaron en el campamento improvisado en donde habíamos pernoctado. Nos provocaron para que los persiguiéramos y poco después nos dimos cuenta de que lo que querían era que la tormenta tropical nos cogiera en un sitio desfavorable. Casi todos los españoles del grupo éramos unos críos y, por tanto, poco experimentados en el tema.

Tampoco los mandos tenían conocimiento de ese lance del ciclón. Por lo visto eran tan recién llegados como yo. Enfrascados en la tarea de atrapar al enemigo, no nos dimos cuenta de que el cielo negro no dejaba amanecer; de que las ventoleras iban cobrando cada vez más fuerza; de que los cañonazos que se oían no eran de ninguna batalla cercana, sino descargas de los nubarrones.

Niño, no te puedes imaginar la que se lió cuando cogieron carrerilla todas esas fuerzas de la naturaleza. Los nublos se pusieron a escupir inmensas bocanadas de agua, con una fuerza de gigantes, el viento a soplar, haciendo de nosotros mariposillas lanzadas a su capricho. Un remolino gordo fue segando todo lo que entraba dentro de él, hierba, árboles, palos del tendido telegráfico, el caballo y hasta el caballero de López de Arellano. Los que íbamos a pie, tuvimos tiempo para apartarnos del torbellino, pero el viento, fuera del remolino gordo, también nos traía y llevaba a su antojo. Así pasaron tres días y tres noches. Cada uno de nosotros, valiéndose o sucumbiendo, como Dios le dio a entender. Los que no habían sido perjudicados por el ventarrón lo habían sido por las chispas. El caso es que, al cabo de tantas horas de pesadilla, habían desaparecido doce compañeros. Y no sé cómo no desaparecieron más porque, ya te digo, el viento nos había sembrado a cada uno donde le había venido en gana. Entre los desaparecidos estaba el teniente, del que no encontramos ni siquiera el caballo. El cabo Reluz nos aseguró que el remolino gordo lo había chupado, lo había levantado hasta el cielo y supiera Dios dónde lo habría dejado caer. Lo mismo lo había depositado en el mar que en una nación extranjera. "Os lo puedo asegurar yo que he visto, a la luz de los relámpagos, con qué fuerza viajaba", nos dijo. Peor suerte corrieron dos compañeros a los que el viento se llevó a las arenas movedizas. Yo nunca volví a tener noticias de los otros desaparecidos. ¡Eso no quiere decir que murieran, ojo! Puede ser que cayeran prisioneros o se reincorporaran a otras unidades nuestras. No se sabe. Fíjate en mi caso, todos me daban por muerto, pero yo andaba con los Regalado. Volviendo al caso del ciclón, te digo que yo perdí la mitad de tres dientes, de tanto rechinarlos, por el canguelo que pasé. Cómo sería que hasta olvidé llevarme algo a la boca durante los días que duró aquel capricho de la naturaleza. Cuando hubo pasado todo, me di cuenta de que estaba abrazado a un árbol, de tal manera que ya no sentía los brazos. Que tuviera pánico aquella vez, no sé si es porque me estaba pasando lo nunca visto o porque el peligro era real. Quiero decir que, cuando tuve que padecer otros ciclones, como ya sabía de qué cojeaba aquello, no me causaban tanto miedo.

—Abuelo, ¿cómo que su familia no se enteró de que aún estaba vivo?

—Ya ves que, desde que mis jefes creyeron que había muerto en aquella escaramuza, mandaron recado al pueblo, a mi familia, diciéndoles que yo había dejado de existir. Se ve que los míos se lo creyeron porque no tenían más remedio, ¡a ver, qué lástima! Si se presenta un alguacil en la casa, con la carta en la que dice que yo las había palmado en acción de guerra, los míos no tienen más que creérselo y tomar las decisiones pertinentes: ponerse a llorar cuando el representante de la Ley les leyó la carta, mandar decir los "gori-goris" en la iglesia y llevar el luto largo que entonces se estilaba. Por cierto, que después me contaron cómo había sido la circunstancia y hasta me hicieron llorar, al saber del dolor que habían sentido por mí, sobre todo mi padre, que hizo dos o tres cosillas que me demuestran que sí me apreciaba. Una de ellas es que se le saltaron las lágrimas. Por primera vez en su vida, mi familia lo había visto llorar. ¡Estaba llorando por mí! Otra es que se presentó en la finca de don Remigio y expresó su indignación ante éste. "Usted ha tenido la culpa de que maten a mi hijo, un hombre como un carrasco". Cómo vería el señorito de indignado a mi padre, que dicen que pagó una misa por mi alma y les mejoró los contratos a mis hermanos. Hasta hay quien dice que aplacó la irritación de mi padre con unos cuantos duros. Eso yo nunca lo pude comprobar. Ya sabes que mi padre no tenía la suficiente confianza conmigo como para contarme esas cosas. Tampoco sé si, cuando volví vivo, tuvo que devolver el dinero al señor.

—Abuelo, es un poco raro eso que cuenta usted. Es que, durante el tiempo que vivió en la sierra, ¿no se le ocurrió escribir a su familia de aquí?

—¡Quita de ahí! Eso no lo podía hacer, me hubiera buscado la ruina. En el Ejército se hubieran enterado de que yo andaba por esos andurriales y me habrían considerado un desertor. Haciendo las cosas así, sin que nadie se enterara, luego me pude meter otra vez en el engranaje militar, como si me hubiera perdido el día anterior y apareciera ahora milagrosamente. Tuve la suerte de que me pillasen aquellos tiempos de tantos embrollos, muy adecuados para la confusión. Otro día te contaré cómo fue lo de mi incorporación a al regimiento, que eso también fue lioso y me hizo chuparme unos cuantos meses de mili, de regalo, hasta que quedó clara la cosa. Lo que te decía, no mandé cartas para que no me descubrieran, pero también porque no hubo ocasión. En la vida que llevábamos en el monte, poco papel, tinta y pluma iba a tener; tampoco iba a arriesgarme tanto como para ir a una ciudad a comprar herramientas de escribir o a echar la carta. Y es que, además, nunca se me pasó por la cabeza que debiera hacerlo.

***

6 / 4 / 2002

Hola, Basi:

Es absurda la historia de los celos que te sacas de la manga. ¿Qué te hace pensar que yo tenga celos de Luz? Ya sabes que soy buena amiga suya y que nos vemos de vez en cuando. No es exclusividad tuya.

Por cierto, tu sobrina cubana no es tan dócil como tú me la habías pintado. Me ha hecho algunas confidencias. Incluso podría decirte que guarda cierto resquemor –puede ser que el heredado de su cultura– hacia tu antepasado. A ver cómo te lo explico: no es concretamente contra Basilio Xantal, el hombre que abandonó a su tatarabuela, sino contra el soldado invasor, el representante de una potencia ocupante que lo saquea y viola todo ¡Ya ves tú por dónde!

Yo pensaba que echaría pestes del régimen Castrista, pero matiza mucho sus declaraciones a este respecto. Por una parte está contenta de haber encajado en la sociedad de la abundancia, pero por otra, añora la camaradería, solidaridad y alegría de vivir de la sociedad que ha dejado. Es curiosa la falta de egoísmo de su carácter. Y si algún afán de ahorro tiene, es porque quiere enviar a los suyos, a los que se quedaron en la isla, cuanto más dinero mejor. Dice que, con lo que aquí despilfarra una familia, allí podrían vivir tres desahogadamente. Sobre todo, se le nota que es antiyanqui hasta la médula. En eso comulga totalmente con el Castrismo.

Seguro que, consciente o inconscientemente, a su llegada a España y en los primeros contactos contigo y con tu familia, se mostró cariñosa por interés. No creo que fuera hipócrita, quiero decir, que le importaba quedar bien, por si le pudierais echar una mano. Es la docilidad del recién llegado, que no se atreve a levantar la voz. Ahora, cuando ya se siente segura en la tierra que pisa, está sacando muchos rencores que llevaba dentro.

Por ejemplo, me contó la historia de sus antepasados, concretamente la historia del padre de Sebio Regalado. Cree que la abuela del mulato fue capturada en algún poblado de África por los traficantes negreros españoles cuando aún era una adolescente. Fue traída a uno de los grandes ingenios, donde la destinaron a las tareas de campo y también a ser hembra de cría. Todo eso lo saca por deducciones. Dado que los esclavos no eran considerados personas, no se puede concretar una historia individual y menos aún escribir un árbol genealógico. Esa adolescente fue violada por el capataz de la finca y por varios otros empleados blancos, de modo que no se puede saber quién fue el abuelo de Sebio. Como a todo hijo nacido de esclava, fuera mulato o negro del todo, lo separaron de su madre, apenas pudo valerse por sí mismo. Desde muy niño trabajó en el ingenio y hubiera continuado trabajando hasta su muerte, de no haber sido porque todos los esclavos fueron liberados cuando dejaron de ser rentables para los hacendados. De la noche a la mañana se vio desamparado, teniendo que valerse de su instinto de conservación para no morir de inanición. Se alió con la naturaleza y tomó los frutos que ella le suministraba, desde animales salvajes hasta frutos silvestres. Hay que aclarar que muchos otros, más débiles que él, murieron en ese trance. Así es que, tras una temporada de vida salvaje, nuestro liberto llegó a La Habana, en donde se pudo emplear como estibador en el muelle. Y ese oficio realizó hasta que tuvo fuerzas. Después regresó al campo y, con los ahorros reunidos, compró un pequeño terreno en un batey.

***

"La reforma autonómica de Moret llegó demasiado tarde. El mismo Máximo Gómez señala que si la autonomía hubiera llegado antes, se hubiera retardado mucho la independencia, o no se hubiera producido. No obstante, eso es política ficción, dada la intromisión del Gobierno Norteamericano. Aun así, los periódicos conservadores se lanzaron ferozmente contra el Gobierno de Sagasta cuando aplicó la tardía asamblea autonómica para Cuba."

"Por parte del Gobierno, antes de iniciar la guerra contra Estados unidos, todo eran baladronadas a propósito de las fuerzas con las que contaba España. Después de la derrota, todo el mundo afirmaba que ya se veía venir, dado el desastre de nuestras fuerzas navales."

"Buques protegidos: 17. – Buques no protegidos 20. – Cañoneros 80. – Cazatorpedos 14. – Torpederos 18. – Transportes, pontones, lanchas torpederas 25." (Datos que da el Ministerio de Marina, antes de la Guerra, respecto a las grandes fuerzas navales que poseía España con las que era muy fácil derrotar a Estados Unidos).

"La Guerra Hispano Norteamericana fue breve y, en menos de un mes, des el 22 de junio que desembarca en Daiquiri (Oriente) el Ejército Yanki (Quinto Cuerpo del Ejército) hasta el 14 de julio en el que el general José Toral firma la Capitulación de Santiago, todo se habrá acabado."

"Después del desastre, se llegó a hablar en los periódicos de que los americanos podían invadir Canarias, o atacar El Ferrol o La Coruña."

"La responsabilidad del desastre se debió, no al pueblo español que lo dio todo, sino a la codicia de nuestros industriales y al egoísmo civil de nuestros políticos." (Ramón y Cajal).

"Los soldados, aunque nominalmente habían de cobrar su miserable soldada, no había forma de que se la abonara el

Gobierno." (De EL PAÍS).

"Los patriotas, que antes gritaban enfervorecidos cuando mandaban a los soldados a la guerra, ahora, cuando vuelven enfermos o inválidos, les vuelven la espalada." (De EL PAÍS).

***

28 / 4 / 2002

Querida Evangelina:

¿Ves cómo no es necesario estar continuamente juntos para pasarlo bien? Se puede vivir, con la intensidad de unas horas, más que con el aburrimiento de muchos días de convivencia.

Ya sé que te has entrevistado varias veces con Luz y que te ha puesto al corriente de la historia de su familia. ¿Sabes qué pienso? Dándole la vuelta al refrán "donde hay harina, no hay tremolina", creo que Basilio Xantal y los Regalado se separaron tan amigablemente, gracias a que se hicieron con algún dinero y pudieron rehacer sus vidas. Lo que no me explico es la indiferencia de mi abuelo hacia la descendencia que dejó en Cuba. ¿Acaso no supo que su compañera estaba embarazada cuando se separó de ella? Me gustaría encontrar una explicación para su comportamiento.

***

—Y en el monte, ¿cómo pasaban el rato?

—Pues buscando todo lo que era necesario para vivir. A veces, buscando algún alimento que llevarnos a la boca. Si veíamos que estaba despejado, bajábamos a los alrededores de una hacienda, en donde encontrábamos restos de cañas de azúcar, algunos boniatos, aguacates, mangos, aunque fueran medio echados a perder. O íbamos a pescar en algún paraje escondido, donde nadie nos pudiera localizar. El mulato Regalado también sabía poner trampas a una especie de lagartos grandes, que tenían carne de buen comer. También nos dedicábamos a cuidar de nuestra pequeña granja y de la que, de vez en cuando, sacábamos algún gallino para matar. Yo aún conservaba el máuser y nos hubiéramos podido servir de él en la caza, pero no lo pudimos utilizar por miedo a que alguien nos descubriera y porque nos faltaba munición. Desde luego, cuando no andábamos en marcha, teníamos tiempo libre para charlar y charlar, porque los cubanos son muy habladores.

También dedicamos muchos ratos a practicar los pocos conocimientos que tenía de la lectura y de la escritura. Ya te conté otra vez cómo Luchi, que sabía mucho de letras, me daba lecciones y me ayudaba en este menester. Aunque no disponíamos de tinta, pluma y papel, como la gente fina, sí disponíamos de dos lapiceros y algún papelajo que nos íbamos agenciando y que me servía para mis prácticas. Cuando ni siquiera disponíamos de ese papel, nos teníamos que conformar con escribir con un palito en el mismísimo suelo. El que sabía más de una cosa nos iba enseñado a los que sabíamos menos. El mulato Regalado, que dominaba los números hasta la división, se encargó de enseñárnoslo a los demás. Así pasábamos los días y habríamos estado hasta sabe Dios cuándo si la guerra hubiera seguido. Por lo que me fui enterando luego, los yanquis entraron a ayudar a los mambises y, como era gente rica y con mucho material de guerra, en cuatro días nos machacaron. La verdad es que yo no me enteré de mucho en su momento, fue gracias a las noticias de la guerra que tuve en el campo de prisioneros y en el barco, que pude tejer la historia que le conté a los jefes. Y cuando acabamos la cuarentena, muchos de mis compañeros pudieron volver a sus casas tranquilamente con la licencia en el bolsillo. En cambio, a mí me obligaron a ir a Madrid e ingresar en mi cuartel, hasta que aclararon mi caso y me dejaron por fin libre. Que las cosas de los escribientes iban muy lentas y a mí me tenían en ascuas. "¡A ver si ahora se van a cebar conmigo y me van a mandar a otra guerra!", malolía yo. "¡A ver si ahora me mandan a África!" Porque mira que era sencilla la cosa que yo les expliqué. No tenían más que comprobarlo. Se lo podían creer o no, pero que me dieran una u otra respuesta. No comprendía el porqué me tenían allí tantas semanas. Y no creas que yo era un caso especial.

Tras salir de aquel almacén de Cádiz, en donde nos habían mantenido en cuarentena, nos formaron en la explanada del Puerto. Eso no me agradó mucho porque las explanadas de los puertos no me traían muy buenos recuerdos. Un sargento empezó a pasar lista y los hombres iban saliendo de la formación según los iban nombrando. Los soldados pasaban a una oficina, en donde les suministraban los papeles para volver libremente a sus casas. Así pasaron horas hasta que en la formación apenas quedamos unos cuantos. Desde luego que a mí me daba mala espina que nombraran a tantos y tantos y no se acordaran de mi nombre. Un berrinche más que llevarme. ¿Por qué hacían esa distinción con nosotros? Lo jodido es que empiezas a mirar para adentro de ti y te sientes culpable. Te reprochas creerte más listo que las autoridades cuando sabes que éstas siempre te cogen. Aunque al fin y al cabo yo no había hecho nada contra las ordenanzas, no me había podido reunir con mi unidad y eso no había sido culpa mía. ¿Qué se me exigía? ¿Que me hubiera arriesgado a bajar del monte a pique de que me hubiera matado el enemigo? ¿No era mi deber sobrevivir? ¿Qué hubiera ganado España con que yo me hubiera lanzado de cabeza en las líneas enemigas? Ante tal recibimiento, te aseguro que me arrepentí de haber vuelto a España. Maldije mil veces la decisión de no quedarme en Cuba, donde hubiera podido labrarme un buen porvenir.

Mis temores se confirmaron cuando la policía militar cogió a los señalados, entre los que estaba yo, nos encerraron en un tren y nos enviaron a Madrid. No sabíamos si íbamos como presos o como qué. ¿Cómo crees que me sentí cuando el tren paró aquí, en nuestra ciudad, y no me pude bajar? ¡Irritado!

—Abuelo, ¿Y no había escrito a los suyos desde que llegó a España?

—Ya ves, en parte por dejadez y en parte porque tampoco podía. Cuando me hallaba en la cuarentena, bastante tenía con estar pendiente de mi dinero. No quería dar un paso en falso. La verdad sea dicha, estaba obsesionado con mi escondrijo y casi no me quedaba tiempo para pensar en otra cosa. En aquellos momentos, lo más importante del mundo era salvar mi dinero. Y dos días antes de que nos soltaran, volví a escaparme para recuperar mi taleguilla con su cheque y sus billetes intactos. Cuando me tuvieron retenido en el cuartel tampoco se me ocurrió mandar recado a mi casa. A toro pasado, reconozco que obré mal. No me hubiera costado nada escribir unos renglones a los míos, pero siempre encuentras una justificación para tus faltas. "No lo hice porque creí que me iban a licenciar de un día para otro". "No lo hice porque eso de comparecer ante un tribunal militar me impresionó mucho y no estaba para otras monsergas". "No lo hice porque, si me acusaban de desertor, temía meter la pata con lo que pudiera decir en la carta".

Al llegar al cuartel, me anunciaron que debía aguardar unos días hasta que se aclarara mi expediente. Pasada una semana, fui a la oficina de la comandancia, por si me podían dar noticias de mi asunto. Un sargento me comunicó que la cosa no avanzaría hasta que no se formara un tribunal militar, que procediera al interrogatorio. Entonces me alarmé. Eso del tribunal me quitó el sueño. Día y noche, le fui dando vueltas a mi historia para atar bien los cabos en mi cabeza, de manera que no me perjudicara. Si decía que durante más de un año había andado perdido en el monte, no me iban a creer. Yo tenía noticias del caso de un compañero al que habían acusado de haberse pasado al enemigo. A ése se le había puesto la cosa negra. Y lo habrían fusilado, de no ser porque, a última hora, se acordó del nombre del capitán que lo liberó del campo de prisioneros mambises. En aquellos días, los militares andaban muy mohínos por haber perdido la guerra, creo que descargaban su rabia contra el que podían que, en este caso, éramos los soldados de a pie. Lo que más coraje me dio fue que los jefes del tribunal militar no habían estado en Cuba y tampoco sabían de qué iba la guerra. No se podrían hacer una idea de cómo habían ido las cosas, cuando yo se lo explicara. Y el capitán barrigón, con mostacho a lo chulesco, me preguntaba: "¿Cómo es que perdiste el contacto con tu unidad?" "Mi capitán, es que nos atacaron las tropas mambisas y no dejaron títere con cabeza. Al que no mataron, se lo llevaron prisionero". "¿Dónde ocurrió eso?" "En el puesto 16 de la Trocha de Mariel". "¿Quiénes eran tus mandos?" Y yo le daba, con pelos y señales, los nombres de todos los cabos, sargentos, brigadas y oficiales que tenía por encima de mí. Se acababan las preguntas y se levantaba la sesión, como ellos decían. Entonces se ponían a hacer indagaciones, a ver si lo que decía coincidía con la realidad. Se ve que no era cosa fácil porque tardaban muchos días en comprobarlo. Luego se dieron cuenta de que no les mentía en cuanto a lo de mis mandos. Y otra vez tenía que comparecer ante aquellos hombres; esta vez era un teniente larguirucho, con cara de mono, aunque sin desprender tanta autoridad como el capitán gordinflón anterior. "Bien, hemos verificado todos los datos que nos diste en la sesión anterior. Ahora tendrás que justificar tu paradero entre junio de 1897 y diciembre de 1898, fecha en la que te embarcaste para España". "Mi teniente, ya se lo expliqué a los que me tomaron declaración antes". "Ahora tienes que volver a declararlo ante este tribunal". Yo sabía por dónde iba el asunto. Quería que le repitiera todo, punto por punto, para ver si daba algún traspiés, a ver si me pillaba los dedos con alguna contradicción. "Mi teniente, durante unos días no supe quién era ni por dónde andaba. Había perdido el conocimiento y la memoria a causa, supongo yo, de un mal golpe que me dieran en la cabeza. Cuando recobré la conciencia, me di cuenta de que estaba encerrado en un campo con empalizadas y alambres, junto con otros compañeros, y de que de allí no se podía salir". "¿Quiénes eran esos compañeros que estaban contigo?" "No sé, por lo menos había trescientos hombres allí encerrados". "Eso está bien, así nos podrás decir los nombres de algunos de esos compañeros". "Puedo decir cómo los llamaba yo. A mí me decían el Xantal, a otro Gómez, a otro el Jarete, a otro el Moreno. ¡Qué sé yo! Cada uno tenía su mote y pocos coincidían con su verdadero nombre. No les puedo dar sus nombres completos, tampoco sé a qué unidades pertenecían porque allí no nos pasaban lista ni había modo de averiguar a dónde pertenecía cada quisque. Será difícil que podamos encontrar un testigo que pueda avalar mis palabras". "Bien, ya buscaremos la forma de comprobar cuanto indicas. Me vas a explicar la vida que llevabas durante todo ese tiempo que dices que estuviste prisionero". Ahora era cuando había de mostrarme más seguro y repetir, punto por punto, cuanto había dicho en mi primera declaración. Ya conocía yo a los mandos. Si querías que te creyeran, era necesario hablar sin titubeos; que notaran que tus palabras llevaban la autoridad de la verdad. Menos mal que, por entonces, tenía buena memoria y me acordaba, de pe a pa, de mi primera declaración. "Pues, como le digo, cuando recobré el conocimiento, me di cuenta de que mi situación no era nada buena y me disgusté mucho". "¿Qué hiciste entonces?" "Pues me eché a llorar". "¿Por qué?" "Porque creí que nunca más iba a volver a España". "¿Qué hacías en ese lugar en el que dices que os tenían encerrados?" "Hasta que me recuperé, no hacía nada, aguantar el calor, la lluvia, el hambre y todos los inconvenientes que da estar al puro raso. Cuando ya me puse un poco mejor, iba, junto con otros compañeros, a cultivar el campo, labor en la que nos empleaban los mambises". Y aquí le tuve que dar mil detalles de los trabajos que nos hacían hacer. Me había cogido esta historia de los relatos de compañeros del barco. "Nos hacían desmontar trozos de cerro para construir en ellos campamentos o terrenos de cultivo. Eran lugares apartados a donde nunca podrían llegar nuestras tropas para liberarnos". "¿Intentaste escaparte para volver con nuestras tropas?" "Me hubiera gustado volver para seguir luchando, mi teniente. Lo que pasa es que eso era una tarea imposible y, fíjese, no era por la vigilancia que había, sino porque ¿a dónde iba uno si se escapaba de allí? Tenga usted en cuenta que no teníamos ni idea de donde íbamos a ir a parar si bajábamos de la sierra. Calcule usted que un hombre solo no hubiera sido capaz de sobrevivir en esas circunstancias, aquel terreno era muy difícil de dominar. Más de un incauto que intentó escapar murió sin remisión. Y de eso teníamos pruebas porque los mambises nos mostraban el cadáver para darnos ejemplo de lo que no debíamos hacer". "¿Cómo llegaste al campo/prisión de los yanquis?" "Porque nos entregaron los mambises para que los americanos se hicieran cargo de nosotros".

Ya te digo, la única defensa que tenía era hablar con firmeza y no contradecir mi primera versión. En los días que permanecí en el cuartel, a la espera de ver si me castigaban o me licenciaban, andaba muy nervioso. No sabía si mi suerte iba a entrar de cara o de culo. ¡A ver si, después de todo lo que había pasado en Cuba, cogían y me enviaban a África! Pero se ve que no. Se ve que estaba de Dios que se creyeran todo lo que les había declarado.

***

1 / 5 / 2002

Querido Basi:

Hoy no estoy de humor para hablar de nuestras relaciones sentimentales. Prefiero hacerlo sobre el tema de la guerra de independencia de Cuba, que nos viene ocupando desde hace una larga temporada. Mira este otro documento que rastrea las andanzas de mi abuelo en Cuba:

***

Yo no sé porqué a los yanquis se empecinaron con nosotros de esa manera. A lo mejor creían que, tomando la colina, ya tenían ganada la ciudad de Santiago de Cuba. ¡Cosas de generales! A ellos no les importa sacrificar a sus hombres, con tal de salirse con la suya, aunque luego estén equivocados. No se darán cuenta hasta que la realidad les abra los ojos. Pero, entonces, a ver quién devuelve la vida a tantos muertos. Y no creáis que ellos no tuvieron bajas, por lo menos, tuvieron cuatro veces más que nosotros. Claro que los yanquis llevaban un Ejército inmenso y no eran capaces de acoquinarnos a los pocos que defendíamos nuestra posición. Nosotros no llegábamos a dos mil hombres y ellos tenían más de veinte mil. Así nos lo dijo el teniente Sorozábal: "Tenéis que cargaros a diez cada uno de vosotros. El que haga más, por el que haga menos. Cuando vean que no pueden con nosotros, ya se darán cuenta de que se tienen que retirar los pocos que queden con vida". Y esta vez, no sólo teníamos el máuser para cumplir nuestro cometido, sino unos grandes cañones que no veáis los estragos que causaban en las filas americanas. Además, nos escondíamos tras las murallas de la fortificación y no había quien nos sacara de allí. Éramos hombres bragados y no unos aprendices. Allí estábamos de los regimientos Asia, Talavera, Puerto Rico, Constitución y algunos de la Marina. Además, antes del fuerte, había una guarnición defendiendo la loma. Allí estaba el coronel Vaquero con sus hombres, que se defendieron con dos cojones. Y cuando vimos venir hacia nosotros una división entera en formación cerrada, no tuvimos más que hacer fuego para conseguir grandes estragos en las filas americanas.

Más difícil fue actuar contra la caballería, que se desplazaba con gran agilidad y consiguió atravesar el río San Juan. Nos atacaban por uno y otro lado. ¡Como eran tantos! Hubo un momento en que los americanos empezaron a causarnos muchas bajas, sobre todo en la posición que defendía el coronel Vaquero. Desde nuestro observatorio veíamos caer a nuestros compañeros. Eso nos daba mucha rabia "¡Cerdos yanquis, venid a por nosotros si tenéis huevos!", les gritábamos envalentonados por el teniente Sorozábal. ¿Y sabéis qué ocurrencia tuvieron? Pues enviar un globo cautivo a sobrevolarnos, con la intención de asaltarnos desde el aire. Desde que descubrimos el aparato ese, nuestros artilleros la emprendieron a cañonazos contra él. Fueron momentos de distracción y de risas. "¡Uy, que casi le da!" "¡Ahora le ha pasado rozando!" "¡Patapaf, ahora le ha dado de lleno!"

Durante todo el día, las oleadas de hombres que intentaban llegar a nuestra posición, siempre eran rechazadas. Pero claro, con tantos hombres atacándonos, llegó un momento en que ya no pudimos más. Teníamos muchas bajas, entre muertos y heridos. El propio coronel Vaquero resultó despedazado por la artillería enemiga. Además, ya no nos quedaban municiones para defendernos. A los pocos hombres que aún quedábamos con vida, el teniente Sorozábal nos mandó que caláramos la bayoneta para defendernos cuerpo a cuerpo en el último asalto. Menos mal que a esas horas ya estaba oscureciendo y algunos de nosotros pudimos escaparnos, escabulléndonos entre las sombras.

A parte del valor que hay que echarle a la cosa, hay que tener mucha suerte para salir vivo de una refriega de esa envergadura. Luego, no sabéis la cantidad de peripecias que tres compañeros, entre ellos el teniente, tuvimos que pasar para llegar a Santiago. A todo esto, fuimos tan tontainas como para meternos en la ratonera de la ciudad, cuando sabíamos que era el objetivo del enemigo. Lo del cerro de San Juan había sido un aperitivo, lo que de verdad querían los americanos era meterse en Santiago. Nosotros debiéramos haber estado al tanto y no encerrarnos en un cerco otra vez, debiéramos haber atravesado las filas enemigas para ir a reunirnos con los nuestros en el campo. Hubiéramos defendido mejor los intereses de España desde fuera de la ciudad, que desde dentro, pero el teniente no quiso oír nuestras sugerencias bajo ningún concepto. Debíamos defender Santiago de Cuba porque era la clave de la defensa de la isla.

Pero pasó lo que nos temíamos. No os podéis imaginar lo malo que es vivir en una ciudad sitiada. Bombardeos desde el mar, bombardeos desde la tierra, hambre. Estoy por deciros que era peor que el Cerro de Sanjuán, allí por lo menos podíamos defendernos. Aquí te caían las bombas encima y no sabías de dónde venían. No sabías si te iban a matar en las ruinas de una casa o en medio de una plaza. Lo del comer y beber ya ni os lo cuento, no sabéis hasta que punto aborrezco la carne de caballo y las ratas, que eran las únicas cosas que, al final, nos quedaban por llevarnos a la boca.

***

12 / 5 / 2002

Buenos días, Evangelina:

En cierto sentido, tienes razón. Luz guarda el rencor de todos los colonizados hacia los que los dominaron un día, aunque es de un modo genérico, no concretamente hacia nuestro antepasado Xantal. Y, si de algo tiene que avergonzarse, es de que no se sublevaran sus tatarabuelos contra mi abuelo cuando éste los dejó; que se mostraran tan comprensivos con él. No obstante, sigue amable y muy familiar conmigo. Se puede considerar los reproches que me hace como pequeñas rencillas de familia.

***

—Ya sabes que el día en que me dieron el papel en el que decía que me licenciaban del servicio activo y pasaba a la reserva activa, fue un día grande para mí. Cogí unos cuartos del poco dinero que había cobrado en el Ejército. Los atrasos de tantos meses los dediqué a ponerme un poco decente. Porque, ya me dirás si me presento en un banco con el traje de rayadillo. Hubieran desconfiado de mí y hasta puede que hubieran creído que había robado aquel dinero extranjero y aquel papel bancario. Debía agenciarme un cierto empaque, la cautela es la que se impone en estos casos. Las cosas había que hacerlas paso a paso, para no dar lugar a sospechas. Guiado por un compañero de Madrid, fui a un ropavejero y me compré un traje de lo mejorcito que tenía. A lo mejor había pertenecido a un muerto, no te extrañe nada, pero después de Cuba, no me iba a andar con remilgos. Con ese traje, adornado con corbata y sombrero, podía pasar por un hombre acostumbrado a los negocios. Ya tenía otra pinta. Ya podía entrar al banco sin que me cerraran la puerta. Así es que me metí en el primer banco que pillé en el centro de Madrid, el Trasatlántico. Cuando intenté cambiar unos pocos billetes, me informaron de que allí no me podían complacer, que tenía que ir al Banco de España, lugar apropiado para esas operaciones. Como puedes suponer, al principio no cambié más que una pequeña parte del dinero. Las cosas había que hacerlas poquito a poco, un día cambio unos billetes, otro día cambio otros pocos y así, hasta tenerlo todo en pesetas. Sólo entonces volví al primer banco que había visitado y abrí una cuenta, solicité que además de las pesetas me aceptaran el papel de banco, en donde iba escrito lo más gordo de mi capital. Y lo aceptaron.

Así es como empecé la nueva vida en España. Se me pasó por la cabeza que podía haberme quedado en Madrid e iniciar un negociete, pero no me veía en el papel de negociante. Tenía que rehacer mi vida en nuestra ciudad. Por una parte, no entendía de más negocios que los del campo y, por otra, siempre me pareció que no eres propietario de nada si no lo eres de un trozo de tierra. Manías que teníamos la gente de entonces. Los hombres del banco en seguida me quisieron enredar, ofreciéndome un negocio en la industria del hierro, pero yo no estaba para cosas que no entendía. El campo siempre ha sido lo mío.

A ver, niño, no creas que ahí terminaron las dificultades. Estaba también el problema de mi padre. Si le hubiera confesado que era dueño de un caudal, seguro me habría despojado de todo lo que había estado afanando hasta ese momento. Tantas fatigas para que viniera él, con sus manos limpias, y se apropiara de lo que era mío. Así eran los padres de entonces, no se consideraba a los hijos propietarios de nada hasta que no se independizaban, casándose. Eso no me parecía justo. ¿Qué crees tú, niño? ¿Depositar a los pies de mi padre la riqueza que me había tocado en suerte? ¿Después de tanto sacrificio para conservarla? No sé, habría que darle muchas vueltas para llegar a una conclusión justa. Desde luego, yo no estaba por compartir con nadie lo que consideraba mío. Por eso tuve que andar con mucho tiento con mi familia. Por eso no inventé lo de las loterías hasta después de casado. Por eso tuve que esconder, en un sitio seguro, la cartilla del banco hasta el momento en que ya dispuse de mi propia casa. Por eso me había quedado en Madrid hasta solucionar lo del dinero y los bancos y, hasta que no tuve la cosa segura, no me vine para el pueblo. Después te cuento lo de la sorpresa y sobresalto de mi llegada. Ahora estamos con lo de mi capitalillo, no mezclemos las cosas. Quiero que sepas que las cosas no caen del cielo y que, si desde entonces cambió mi suerte y la de mi descendencia, fue porque yo me lo trabajé y puse todos los medios a su servicio. Porque los tres años que pasé bajo el dominio de mi padre, hasta que me casé, tuve que hacer una vida normal de hijo para no levantar sospechas. Fui gañán de los más arrastrados, al servicio de mi padre; no fue fácil, pero era peor servir a un amo ajeno. Y hasta que no me uní a la abuela, que en paz descanse, no levanté cabeza. Fui uno más de la familia, sin destacar nada de mis hermanos.

——Abuelo, ¿y por qué compró usted las fincas en Los Palacios de Montiel? ¿Por qué no las adquirió aquí?

—Por varias razones. Una de ellas era que no quería destacar tanto en mi propio pueblo, en donde enseguida levantas envidias. También porque se me presentó una buena oportunidad de adquirir unas cuantas fanegas de tierra de viña y de olivar, a un precio de ganga, con lo que mis propiedades pudieron ser mayores que en otro sitio. Y si hubiera hecho tal operación en nuestra ciudad, la gente se hubiera metido conmigo. En Montiel, como era forastero, nadie dijo nada. Aunque no tenían porqué meterse, que yo las tierras las compré a un señor que no gozaba de buena fama, ésa es la verdad, pero tenía todas sus cosas en regla. Yo le compré las fincas como Dios manda, con el notario por delante. Que, precisamente cuando no ves las cosas claras del todo, es cuando has de poner los cinco sentidos a disposición del asunto que traes entre manos. Don Eusebio se llamaba el señor al que hice la compra y, según tengo entendido, había adquirido sus propiedades aprovechándose de las necesidades de los agricultores de la zona. En los últimos años de las guerras coloniales, cuando acabó lo de Cuba, la vida se puso por las nubes; sobre todo después de la sequía y la plaga de filoxera, los del campo se vieron con la soga al cuello. Mi propia familia no habría salido adelante si no hubiera tenido tantos brazos con que sostener su economía, aunque también las pasamos magras.

En fin, que don Eusebio había ido hipotecando fincas a cambio de préstamos hasta conseguir unas buenas fanegas. Claro, llegó un momento en que los palaceños en general lo miraron con odio. El hermano Poncio le pidió un préstamo para librar a su hijo de la mili y después, con el hijo enfermo, don Eusebio no quiso esperar a que sanara y pudiera trabajar para pagar la deuda. Les quitó las fincas. Y así obró con otros muchos. Como ponía esos intereses tan abusivos, no había quien pudiera salir limpio de los negocios con ese hombre. Lo que te digo, yo aproveché la oportunidad, él estaba deseando deshacerse de las fincas adquiridas de mala manera y pillar dinero fresco para marcharse a Madrid. Vio el cielo abierto cuando supo que yo estaba dispuesto a comprar. Mira lo que son las cosas, yo hubiera podido ganarme el odio de los palaceños cuando compré las tierras, pero no fue así, la gente se dio cuenta de que yo no iba de logrero. Supieron apreciar que había comprado a ese señor lo mismo que pudiera haber comprado a cualquier otro y que, en cierto modo, también me quería timar a mí. Don Eusebio pensaba que yo era un pelanas del que también sacaría provecho. Verás, yo me presenté en Los Palacios de Montiel con la intención de comprar. Como no quería dar publicidad a mi dinero, planeaba comprar ahora unas fanegas, más adelante otras y así, poco a poco; pero el tal don Eusebio me propuso que por qué no mercaba todo su capital de una vez. "Yo te doy todas las facilidades. Con el producto que te vayan dando las fincas, tú me vas pagando cada año un tanto". "Es que el negocio del campo está muy mal y no sé si me va a dar para pagarle a usted". "Nada, hombre, nada. Está mal para aquel que sólo tiene cuatro picos de tierra. Pero yo te ofrezco unas buenas fincas de las que puedes sacar sustanciosos dineros. Con la entrada que me vas a dar ahora, no podrías comprar más que unas cuantas cepas de viña. ¿Saldrías de pobre con eso? Arriésgate un poco y verás cómo me lo agradeces toda la vida". "Usted lo ve todo muy bien, pero ¿qué pasa si vienen un año más de sequía? ¿Qué pasa si luego los productos no valen nada y yo no le puedo pagar a usted?" "Con pesimistas y cobardes no se escribe la Historia. Parece mentira que estés acostumbrado a jugarte la vida, como dices que hiciste, en Cuba. ¡Líate la manta a la cabeza y tira para adelante!" "Es que las condiciones que usted me pone son leoninas. Si no puedo pagarle en el plazo señalado, usted vuelve a recuperar todas sus tierras y yo pierdo todo el dinero que le he adelantado". "Claro, tú no ves más que lo negativo. No te das cuenta de que te estoy dando las fincas a precio de ganga. Tienes que arriesgarte. Quien no se moja no come peces". Se ponía muy ladino a la vez que muy razonable. Él creía que a mí también me iba a tener pillado. No sabía que, en caso de que viniera un año de vacas flacas, yo tenía dineros en el banco con qué corresponder. Así es que le salió el tiro por la culata: me vendió barato y no caí en su trampa como él pretendía. Así empezó mi vida de labrador propietario.

Con mi padre, como es natural, tuve mis más y mis menos después de que me casé, todavía quería exigirme cuentas y fisgonear en mi vida. "¿Cómo es que te metes en un negocio de tanta envergadura? ¿De dónde has sacado el dinero?" "No es de tanta importancia. Es que la gente exagera. No son más que cuatro piquejos los que he comprado". "¿De dónde has sacado el dinero?" "De la lotería". "¿Cómo de la lotería? Tú has estado sacando los cuartos de mi casa, a mis espaldas. ¡Cría cuervos!" "Que no, padre, que no. Que me ha tocado el segundo premio. Lo justo para dar la entrada para comprar esas tierras". "A mí no me la das con queso". Fíjate lo que era el egoísmo de mi padre. Por eso yo nunca he querido sacar partido de mis hijos, nunca he querido dominarlos como él nos dominaba a mis hermanos y a mí. Hasta el día de su muerte estuvo con la cantinela de que todos los bienes que yo poseía habían salido de su bolsillo. Lo malo no es eso, sino que metió esa idea en las cabezas de mis hermanos y también ellos me miraron de mala manera, como si les hubiera robado parte de la herencia.

***

5 / 5 / 2002

Hola, Basi:

¿Ves? Confieso que, en este caso, he sido yo la culpable al no haber podido acompañarte a Berlín. Había de elegir entre mi trabajo y tu compañía. Te hubiera acompañado en otras circunstancias, pero bien dices que hemos de saber ser independientes y vivir nuestros sentimientos sólo en determinados momentos, así que no me he atrevido a faltar a mi deber laboral. Mis investigaciones y mis clases son la otra muleta indispensable sobre la que me he de apoyar.

Luz sigue siendo mi confidente y me hace partícipe de sus sueños. Sueña con fundar una institución con la que recaudar medicinas para enviarlas a los hospitales cubanos, en donde hacen tanta falta. Como decisión no le falta, creo que lo conseguirá.

***

"De toda la flota española, sólo el Plutón fue hundido por la artillería enemiga. Los demás fueron abandonados por sus tripulaciones. Algunos cruceros, como el Cristóbal Colón, estaban en perfectas condiciones cuando sus capitanes decidieron hundirlos."

"Fue difícil para Estados Unidos licenciar a los soldados rebeldes cubanos, a pesar de que les pagaran los atrasos. Los mambises no veían con buenos ojos la hegemonía americana."

***

12 / 5 / 2002

Querida Evangelina:

¿Ves cómo yo sé cumplir mejor que tú? Ya sabes que siempre que me lo has pedido, te he acompañado. Y no pretextes lo del trabajo, porque yo también tengo el mío y he sabido sacar el tiempo para seguirte. Sabes que lo primero de todo eres tú.

***

—No te quiero ni contar la cara de sorpresa que iban poniendo en el pueblo los que me conocían, en cuanto me bajé del tren. Primero se quedaban sorprendidos al verme con aquel traje. Les costaba localizar mi cara, ahora con sombrero, antes con boina; aquel cuerpo vestido con chaleco y su chaqueta de traje, cuando antes vestía blusa o pana y faja. En fin, hecho un señorito, con mi corbata y toda la pesca. Desde luego, yo notaba algo raro, me daba cuenta de que mucha gente se retiraba a mi paso, como si temieran que les pegase alguna enfermedad traída de Cuba. Hasta que la hermana Hermenegilda, que se topó de morros conmigo, empezó a dar gritos y a hacer mil aspavientos. Yo iba llegando a mi casa, muy temprano por la mañana, cuando pasé por la puerta de esa mujer y coincidió con que ella salía a barrer la calle. Iba un poco distraído por los cientos de pensamientos y emociones que rondaban mi cabeza. Seguramente extrañada de ver a un señorito por el barrio y a esas horas, me dio los buenos días y yo le respondí. Fue entonces que se dio cuenta de quién era yo y eso la impulsó a obrar de una forma tan descontrolada. A lo mejor, si me hubiera visto con la indumentaria de siempre, no le habría entrado esa descomposición en el cuerpo y hasta le habría dado tiempo a pensar: "Esto es una equivocación. No puede ser el Golorín de verdad porque está muerto". Pero no, empezó a chillar sin control porque pensó que yo había salido de la tumba e iba vestido con mortaja. Y chillando llegó a la puerta de mis padres para aporrearla. "¡Abrid, abrid, que hay una aparición! ¡Ay Dios mío! ¡Dios nos ampare!" Y otras cosas por el estilo. Mi madre y mis hermanas, alarmadas por el alboroto que armaba la hermana Hermenegilda, salieron a la calle asustadas, esperando encontrarse con alguna desgracia. Cuando se dieron de bruces conmigo, mi hermana mayor empezó a gritar como si se hubiera vuelto loca. Mi madre se puso a llorar, también a gritos. Fui yo quien tuvo que calmarlas. "¡Que soy yo, Basilio!" Hubo de pasar un buen rato hasta que yo comprendiera lo que les ocurría a aquellas mujeres, niño, yo no tenía ni la más remota idea de que todos me daban por muerto y que ya me habían cantado el "gori–gori". Claro, ante la aparición de un muerto, era normal que se pusieran así. Luego, poco a poco, se dieron cuenta de que habían de aceptarme entre los seres de este mundo. Fue mi madre quien dio el primer paso hacia la calma. "¡Estás vivo, hijo mío!" "Sí, madre. Sí, hermanas. Sosegaos que no pasa nada. Únicamente que he vuelto de la guerra". "Pero, hijo, si hace más de un año que guardamos luto por ti". "Que no, madre, que estoy vivo. Tóqueme usted". Que ya ves la consideración que tenían conmigo los del Ejército. ¿No hacía más de dos meses que había vuelto a Madrid? ¿Qué trabajo les costaba mandar otro recado a mi familia, deshaciendo el error que antes habían cometido, al decir que yo estaba muerto?

—Pero usted, abuelo, también tenía mucha culpa, al no haber escrito ni una carta a su familia.

—Eso ya te lo expliqué antes. Claro que, si hubiera estado al tanto de la equivocación, no te quepa duda de que les habría escrito sin falta. El caso es que yo también quedé impresionado al darme cuenta de lo que pasaba. ¡Cuánto ni más mis familiares! Así es que, en una chispa de inspiración que tuve, empecé a poner las cosas en su sitio: "Madre, serénese usted. Madre no se deje llevar por la emoción, que eso no es bueno. Usted y vosotras, lloren todo lo que tengan que llorar que no es bueno guardar tanta alegría en el cuerpo, sin darle salida". Poco a poco las fui aquietando. Los siguientes fueron unos días raros. Fíjate hasta qué punto, que no me atrevía a salir a la calle, más que nada por el temor de tener que ir convenciendo a la gente de que era yo en carne real y no una aparición. Cada vez que me encontraba con alguien de la familia, amigo o conocido, me montaba un Cristo. Los hombres que trabajaban en el campo volvieron a la casa en cuanto les anunciaron el acontecimiento. Y un vecino servicial, con su borriquilla, recorrió todas las parcelas en donde faenaban mi padre y mis hermanos. "Vuelve a casa, que allí tienes a tu Basilio resucitado". Una vez cara a cara, mi padre no se atrevió a tocarme, temía que me deshiciera en polvo. Incluso mis hermanos me hablaban como a un niño pequeño al que hay que repetirle muchas veces las cosas para que las entienda. A partir de ahí empezó la vida normal, la lucha por superarse cada día.

Hubo un tiempo en que tenía cierto escozorcillo aquí dentro por volver a Cuba. Quieras que no, los Regalado me había dejado un buen recuerdo. Los cubanos eran más cariñosos y atentos que nosotros, eso me gustaba, aunque a veces llegara a empalagarme un poco. Con mucho, había diferencia entre las mozas de allí y las de aquí, que no veas lo que había que hacer aquí para echarse una novia. Sudé la gota gorda para conquistar a tu abuela, nadie me libró de andar rondándola casi un año hasta que me pude acercar a ella. Existían unos tiras y aflojas con las mujeres que, vistos desde las costumbres cubanas, daban risa.

—¿Qué es lo que más le llamó la atención de la abuela?

—Niño, ahora no te lo podría precisar. Desde luego, tu abuela llamaba la atención de moza, por lo guapa y distingui-da que era. ¡Lástima que no la conocieras! Como murió cuando tú eras muy chiquitillo, no te acuerdas de ella. Me costó mucho convencerla de que fuera mi compañera para toda la vida, no te creas, ella se creía superior a mí, en cuanto a posi-ción social. Tanto me mortificaba este asunto, que estuve a punto de confesarle el secreto de mis dineros, ¡ya ves qué locura! Porque eso hubiera sido como ponerme en sus manos y buscarme la ruina si se iba de la lengua.

—¿Por qué, abuelo? No lo entiendo.

—Si ella me hubiera dado calabazas y encima hubiera hecho público mi secreto, enseguida hubiera llegado a oídos de mi padre, ¡y adiós a mis caudales! El jefe se hubiera hecho dueño de ellos. A ella nunca le dije lo que te estoy contando a ti; aun-que luego, de casados, siempre se portó muy bien conmigo. Tu abuela era otro porte, distinto al que tenía Luchi, la cubana.

***

18 / 5 / 2002

Querido Basi:

Aunque te sientas un jovenzuelo, has de tener en cuenta que ni tú ni yo lo somos ya. Tenemos una edad en la que cada vez va a ser más necesario apoyarnos el uno en el otro. No te quiero presionar, pero habría que considerar la posibilidad de vivir juntos. Ha sido absurdo que no quisieras que me instalara en tu casa para echarte una mano, cuando tanto me necesitabas a causa de tu enfermedad. Parece como si no quisieras deber favores a nadie. ¿Es por eso que me has impedido que te cuidara? Me temo que estás pasando por unos momentos de confusión (vuelvo a recordártelo). La persona real, de carne y huesos, que soy yo está borrando el mito que guardabas en tu imaginación y no quieres aceptar eso. O puede que me rechaces por no estar a la altura de tus fantasías. ¿Ves? En eso yo llevo ventaja. He ido apreciándote tal como eres, sin el lastre de haberte idealizado antes. Es un poco lo que te ha estado pasando -y que, en un tiempo lejano, me pasó a mí- con la leyenda de tu abuelo. A medida que has ido descubriendo al hombre, parece ser que ya no te gusta tanto. ¿Me equivoco?

***

"Después de la derrota, se desencadenó una verdadera tormenta contra el Gobierno Sagasta, contra el Ejército y la Marina. En una tormentosa sesión en el Senado, el Conde de las Almeinas achacaba la derrota a la ineptitud de los militares y pedía Consejos de Guerra para éstos. Exclama, enfrentándose a los generales derrotados:`Hay que arrancar de algunos pechos muchas, pero que muchas medallas y hay que subir muchas fajas (de generales) a la altura del cuello´."

***

19 / 5 / 2002

Querida Evangelina:

¿Cómo que no me has cuidado? ¿Qué más podrías haber hecho por mí? Te lo agradezco mucho. Sé que mi empecinamiento en no dejarte dormir en mi casa te ha costado muchos sacrificios. Has debido de madrugar para venir a atenderme y dejarme las cosas preparadas, antes de ir a tu trabajo. Otro tanto pasaba por las noches, obligándote a volver a casa a altas horas. Por ello, estoy muy obligado contigo. Espero con impaciencia la hora de devolverte el favor. Sería necesario que nos tomáramos tal como somos para que nuestro proyecto en común tenga continuidad.

No sé si tienes razón cuando afirmas que me estás decepcionando al conocerte tal y como eres. Lo que sí puedo decirte es que cada vez te necesito más y que, fuera de complejos que me puedan dominar, me sería difícil prescindir hoy de ti. Perdona que sea tan crudo. Dame tiempo y me acostumbraré a ir dominando mi hábito de independencia, en aras de convivir, el máximo tiempo posible, contigo.

Blanes, Septiembre 2006